La fille des indiens rouges

Emile Chevalier

Contact : infos@culturea.fr
ISBN : 979-10-418-2204-1
Legal deposit : July 2023

LA FILLE DES INDIENS ROUGES

I

L'INSURRECTION

—Je vous répète, maître, que les hommes sont mécontents. Ils menacent de se révolter.

—Est-ce pour cela que tu es venu me troubler?

—Mais...

—Mais... qu'on donne la cale sèche aux plus mutins et qu'on fasse courir la bouline aux autres! Par Notre-Dame de Bon-Secours, c'est moi qui commande à bord, et je veux être obéi, entends-tu, Louison?

—Sans doute, sans doute, maître. Cependant, si j'osais...

—Quoi?

—Vous êtes plus savant que moi, maître, plus savant que nous tous, oh! nous le savons bien!...

—Au but!

—C'est, répondit timidement Louison, que les vivres commencent à manquer sur le *Saint-Rémi.* L'eau est à moitié gâtée, et encore ai-je été obligé de diminuer les rations ce matin.

Puis, s'enhardissant, il ajouta d'un ton plus décidé:

—Nos gens crient, voyez-vous, maître Guillaume. Ils disent, comme ça, que depuis trop longtemps nous tenons la mer; que ce n'était point pour un voyage de découvertes, mais bien pour faire la pêche des *molues* qu'ils se sont embarqués; qu'il n'existe aucune terre dans ces parages; que, s'ils cèdent davantage à votre obstination, une mort affreuse les attend au milieu des glaces qui nous environnent, et...

—Et tu partages leurs appréhensions! interrompit maître Guillaume en haussant les épaules.

—Oh! essaya Louison avec un air de dignité blessée.

—Ne nie point, par Notre-Dame de Bon-Secours, ne nie point; je te connais, mon gars, tu es aussi couard que le dernier de nos novices. Mais, sois tranquille, je ferai, à mon retour à Dieppe, un bon rapport de ta conduite!

—Je ne croyais pas, maître, avoir manqué à mes devoirs, repartit Louison avec une humilité feinte, car il accompagna ces paroles d'un regard haineux, quoique habilement dissimulé sous la paupière.

—Assez sur ce sujet! s'écria Guillaume en frappant du pied. Comment nommes-tu les rebelles?

—Il y a d'abord: Cabochard, Brûlé-Tout, Gignoux Loup-de-Mer, puis...

—Ce sont les meneurs, ceux-là, n'est-ce point?

—Je le présume, maître.

—Alors, qu'on leur inflige la grand'cale!

—J'avais pensé que la cale sèche...

—J'ai dit la grand'cale, et sur-le-champ. Cet exemple assouplira les autres. Sinon, je brûle la cervelle au premier qui grogne! Par Notre-Dame de Bon-Secours, un pareil ramas de coquins me dicter des lois! Ignorent-ils qui je suis, après trois mois de navigation ensemble! Ignorent-ils que le capitaine Guillaume Dubreuil a servi sur les vaisseaux du roi, avant de commander cette coquille de noix, et qu'il n'est pas homme à se laisser imposer par des pleutres de leur espèce!

—Et s'ils se révoltaient? hasarda Louison.

—S'ils se révoltaient! répéta, avec un accent plein de mépris, le patron du Saint-Rémi, en mettant la main sur la crosse d'un pistolet pendu à sa ceinture.

—Ils en parlent! insista l'autre.

—Allons, va! et la route toujours au nord-ouest, dit Guillaume d'une voix souriante, comme si la frayeur n'avait aucune prise sur son âme.

C'est qu'il n'avait pas une nature vulgaire, Guillaume Dubreuil, patron du bateau pêcheur le Saint-Remi. Né, en 1465, d'une famille bourgeoise, habitant la petite ville de Dieppe, il avait été voué à la cléricature. Ses progrès dans les sciences et l'étude des langues anciennes et modernes furent rapides. Et, quoiqu'il témoignât plus de goût pour l'histoire et la géographie que pour la scholastique religieuse, on espérait que le jeune élève deviendrait une des gloires de l'ordre de saint Benoît, auquel ses parents l'avaient destiné. Mais s'il était intelligent, studieux, âpre au travail, Guillaume n'avait pas l'humeur facile. De brûlantes passions fermentaient dans son coeur: passions en opposition complète avec les réserves, les austérités et les mortifications du cloître.

Un jour, le frère gardien du monastère où il aurait dû s'apprêter à recevoir les ordres vint, tout benoît, tout contrit, annoncer au père Dubreuil que son fils avait pris la clef des champs, après avoir escaladé les murs de la sainte retraite.

Je vous laisse à penser le courroux et le chagrin qu'éprouva le bon bourgeois. Vainement fit-il courir après son fugitif, vainement promit-il une forte récompense à quiconque lui en donnerait des nouvelles. Durant plusieurs années, on n'en entendit plus parler.

Cependant, après avoir jeté le froc aux orties, le jeune Guillaume s'était engagé dans un régiment au service d'Anne de France, dame de Beaujeu, alors en hostilités avec les ducs d'Orléans, de Bourbon et divers grands seigneurs qui lui disputaient la régence de Charles VIII.

Notre échappé du couvent se signala dans plusieurs occasions, notamment à la bataille de Saint-Aubin-du-Cormier, en 1488, où il contribua à la capture du duc d'Orléans, depuis Louis XII.

A cette époque, Guillaume Dubreuil avait vingt-trois ans. Du rang de piquier à pique simple, par lequel il avait débuté dans l'armée, il était parvenu au grade d'enseigne, après avoir passé tour à tour par ceux de piquier à pique sèche, piquier à corselet, arquebusier, mousquetaire, lampassade, caporal et sergent. Mais pour le récompenser de sa valeur dans l'affaire de Saint-Aubin-du-Cormier, Anne lui fit donner le commandement d'une bande.

Décidément, la fortune présentait elle-même au jeune officier sa main si recherchée. Il n'avait qu'à se laisser conduire, et bientôt on le verrait mestre-de-camp d'un régiment, puis colonel-général, et pourquoi pas maréchal plus tard? En ces temps de troubles, de ligues, de révolutions, un homme de coeur ne pouvait-il viser aux plus hautes dignités? Il ne s'était guère écoulé plus d'un siècle depuis la mort de Bertrand Du Guesclin. La mémoire de ses brillants succès enflammait encore l'esprit chevaleresque du siècle.

Mais déjà Guillaume était fatigué de l'état militaire, qui n'offrait plus d'émotions à son âme ardente, avide de nouveauté. La paix, qui suivit le traité de Sablé, acheva de le dégoûter d'une carrière où l'avait jeté le hasard, bien plutôt qu'une vocation sérieuse.

La profession de marin, les combats en mer, les tempêtes, les expéditions lointaines, avaient été, dans le jeune âge, l'objet de ses rêves. Il résolut de réaliser enfin des aspirations si souvent, si chaudement caressées. Grâce à la protection du sire de La Trémoille, qui s'était intéressé à lui depuis la glorieuse journée de Saint-Aubin, Dubreuil obtint de passer comme officier sur un des navires du roi. Il y apprit rapidement l'art nautique, et, dès 1494 il pouvait espérer d'arriver promptement au commandement d'une galéasse, quand le bruit des merveilleuses découvertes de Christophe Colomb vint allumer de nouveaux désirs dans sa fougueuse imagination.

Dubreuil demanda à la cour l'autorisation d'aller tenter les mers. Il prétendait trouver, par le nord-ouest, un passage au Cathay (la Chine), assurant que cette voie, infiniment plus courte que celle de la mer Rouge ou du cap de Bonne-Espérance,—tout dernièrement reconnu par les Portugais,—serait pour la France une source de richesses incalculables. Sa requête fut appuyée par La Trémoille. Mais Charles VIII, qui venait de s'affranchir de la tutelle de sa soeur, et qui, stimulé par Louis d'Orléans, briguait le royaume de Naples, Charles VIII se souciait plus du tournois militaires que de commerce, de victoires éclatantes sous le doux ciel de l'Italie que de problématiques conquêtes maritimes.

«Patientez, écrivit La Trémoille à son protégé, jusqu'à ce que le roy, nostre sire, ait terminé la guerre, et il vous octroyera cette faveur que sollicitez.»

Patienter! Est-ce que la poudre attend pour faire explosion, après que l'étincelle a été mise en contact avec elle?

Guillaume Dubreuil n'était pas homme à ajourner l'exécution d'une idée, quand une fois elle avait jailli dans son cerveau. Rétif à la contradiction, son caractère ne savait supporter les retards. Ce qu'il voulait, il le voulait tout de suite, et il se serait fait briser plutôt que de ployer, lorsqu'il s'était mis en tête d'accomplir une chose, bonne ou mauvaise.

Aussi donna-t-il immédiatement sa démission; puis il revint à Dieppe, où ses parents l'accueillirent comme l'Enfant Prodigue; et, sans perdre un instant, se fit nommer capitaine ou patron d'un des bateaux qui, depuis de nombreuses années, allaient faire la pêche de la morue et du hareng sur les bancs que nous nommons aujourd'hui bancs de Terre-Neuve.

D'où lui était venue cette résolution? Pourquoi, à la fleur de l'âge, avait-il échangé un poste magnifique contre l'emploi assez peu considéré de pêcheur? Le père Dubreuil, ses amis, ses compères n'y comprenaient rien. Pour eux, il était fou, possédé du diable, il finirait certainement mal. Le vulgaire est ainsi fait: ce qu'il ne conçoit pas, il l'interprète toujours de méchante façon. Mais que ces braves gens eussent encore jugé bien plus sévèrement le pauvre Guillaume, s'ils eussent connu ses desseins!

Inutile de rapporter toutes les tentatives mises en oeuvre pour l'empêcher de partir. Par bonheur, il avait affaire à des armateurs intelligents et discrets, à qui il avait communiqué son plan et qui l'approuvaient.

Pour lui, ils affrétèrent le Saint-Remi, joli brick de cent vingt tonneaux, monté par trente hommes d'équipage et pourvu de provisions pour un an.

Guillaume leva l'ancre au commencement de mars de l'année 1494, et, après une pénible traversée de plus de trois mois, atteignit le 55° de latitude nord et le 40° de longitude ouest, sans avoir aperçu aucune terre.

Malheureusement, les vivres étant de mauvaise qualité, on avait dû en jeter la plus grande partie par-dessus bord, et une voie d'eau s'étant déclarée dans la cale, plusieurs barriques avaient été avariées. De là, murmures parmi l'équipage, ignorant que bientôt les montagnes de glace lui fourniraient de l'eau douce à discrétion, et qui eût préféré la pêche à un voyage dont il ne voyait pas la fin et dont le but l'intéressait médiocrement. Si la diminution forcée des rations avait donné lieu à ces murmures, les rigueurs de la température, au point où était parvenu le navire, ne tendaient pas à les faire cesser.

La mer était continuellement houleuse, couverte de montagnes de glace énormes, entre lesquelles le vaisseau avait souvent peine à se frayer passage; le vent soufflait avec une âpreté qui gelait les doigts des matelots employés à la manoeuvre, et le ciel, toujours voilé, toujours sombre, ou bien roulait d'épais nuages noirs, précurseurs de tempêtes effroyables, menaçant à chaque minute d'engloutir le misérable brick, ou bien il s'ouvrait pour laisser échapper des tourbillons de neige, si pressés que l'air en devenait compact, si aveuglants que les plus intrépides gabiers hésitaient à monter alors dans les hunes.

Encore, si le commandant du Saint-Remi eût été un de ces patrons doux et familiers, comme le sont habituellement ceux des bateaux-pêcheurs! Lui doux! Jour de Dieu! jamais une punition n'était assez dure, jamais la moindre infraction à la discipline n'était pardonnée! Lui familier! Il ne parlait qu'a son second, Louison, surnommé le Borgne, parce qu'il avait perdu l'oeil droit dans une rixe, et il ne lui parlait que pour les affaires du service. Aussi, Louison détestait-il Guillaume.

Accoutumé à traiter en égaux les patrons des navires où il était employé, le second n'avait pu se faire à la fierté du capitaine. Sans instruction, il jalousait celle de son supérieur; sans tenue vis-à-vis de ses subalternes, il ne s'expliquait pas la hauteur de Dubreuil, bien qu'elle l'irritât et le portât à des hostilités contre lui.

Sourdes d'abord, ces hostilités prirent un caractère moins secret quelques jours avant l'époque de notre récit. Dubreuil était trop occupé ou trop altier pour y prêter attention. Sa négligence ou son orgueil lui fut funeste, car Louison, exaspéré contre ce despotisme tout à fait inusité sur les bateaux-pêcheurs, attisa, au lieu de les réprimer, les dispositions des matelots à la révolte.

Les plaintes dont il se faisait l'écho officieux étaient autant les siennes que celles de l'équipage; et en sortant de la cabine de Dubreuil, après la conversation rapportée plus haut, furieux du mépris qui avait accueilli ses déclarations, il jura de tirer, sans plus tarder, de son capitaine une vengeance terrible.

Les têtes étaient montées, le complot prêt, rien de plus facile que de le faire éclater.

Louison le Borgne ordonna au clairon du bord de sonner l'appel.

Bientôt, les matelots furent alignés sur le pont. Ce matin-là, le temps était assez clair; mais le froid avait doublé d'intensité, et les pauvres marins, exposés à cette atmosphère glaciale, sentirent le sang se figer dans leurs veines. Ils grelottaient et avaient peine à conserver l'immobilité réglementaire. Quelques récriminations furent chuchotées.

Louison feignit de ne pas entendre.

Après avoir lentement fait l'appel, il cria:

—Le Cabochard, quittez les rangs!

Un gros gaillard, au visage renfrogné, sournois, s'avança vers le second.

—Par ordre du patron, continua celui-ci, vous êtes condamné à la grand'cale.

—A la grand'cale! fit le matelot frissonnant de terreur.

—Oui, poursuivit impitoyablement Louison, vous êtes condamné à la grand'cale *par ordre, du patron.*

Et il appuya avec force sur ces derniers mots.

—Mais il veut donc me faire mourir, le capitaine! A la grand'cale par une froidure pareille! Et qu'est-ce que j'ai fait, dites-moi?

—Ah! répondit Louison, avec une apparente commisération, tu as désobéi, tu as clabaudé, dit le capitaine. Allons, déshabille-toi.

Cabochard tourna les yeux sur ses camarades comme pour leur demander conseil.

—Non non! crièrent à la fois plusieurs d'entre eux; non, non! ne te déshabille pas. C'est une monstruosité de vouloir plonger maintenant un homme dans l'eau. Nous ne le souffrirons pas. A bas le patron! à bas!

Un imperceptible sourire de satisfaction plissa les lèvres de Louison.

—Le fait est, insinua-t-il à mi-voix, que c'est un rude châtiment. Le capitaine n'aura pas réfléchi. Je vais, si vous le voulez, intercéder auprès de lui pour que la cale sèche soit substituée...

—Point de cale, point de punition! hurlèrent les matelots.

—Silence dans les rangs! enjoignit Louison.

Puis il ajouta:

—Brûlé-Tout, Gignoux, Loup-de-Mer, recevront la même peine, par ordre spécial du capitaine.

Mais un concert d'imprécations formidables couvrit aussitôt ces paroles.

On eût dit que l'équipage n'attendait que cet instant pour exprimer ouvertement, violemment, sa haine contre Guillaume Dubreuil. Les rangs furent rompus, et les matelots furieux, vociférant, rugissant comme des bêtes féroces qui viennent de briser les barreaux de leur cage, se précipitèrent en tumulte vers la poupe du navire.

C'est que, s'il est cruel dans toutes les saisons et sous tous les climats, le supplice de la grand'cale est particulièrement affreux dans les mers boréales, car on sait qu'il consiste à hisser le patient, par une corde, à l'extrémité de la grand'vergue, puis à le laisser tomber dans l'eau, du côté droit du navire, par exemple, et à le ramener à gauche du bâtiment, en le passant par-dessous la quille.

Sans doute, en prononçant cette terrible sentence contre les mutins, Dubreuil avait oublié la latitude sous laquelle il naviguait. Sa sévérité n'allait pas jusqu'à l'inhumanité, son amour-propre jusqu'à la tyrannie. Mais, lassés de ses procédés, s'exagérant à l'envi la rigueur de ses intentions, les hommes du Saint-Remi profitèrent avidement d'une circonstance qui semblait justifier, en quelque sorte, la conjuration qu'ils avaient ourdie contre lui.

L'hypocrite Louison fit mine de vouloir les arrêter. Dans le fond, il était enchanté de la réussite de ses intrigues.

—Qu'allez-vous faire, camarades! qu'allez-vous faire? disait-il de sa voix mielleuse, en se plantant devant le capot d'échelle.

—A mort! à mort! à mort le patron! beuglaient les forcenés.

Et, écartant Louison, qui n'opposa aucune résistance, ils se précipitèrent dans la cabine du capitaine.

Assis devant une table chargée de manuscrits, de cartes et d'instruments de mathématiques, Dubreuil était si absorbé par son travail que les clameurs de la révolte n'étaient point arrivées à ses oreilles. Il avait les yeux fixés sur une mappemonde de parchemin, écrite en lettres rouges et enluminée de riches couleurs, suivant la mode du temps. Conformément à l'opinion reçue, dans cette carte, Jérusalem se trouvait placée au centre de la terre. En haut de la feuille on lisait le mot; Orient, au bas, celui d'Occident; à droite, Midi, à Gauche, Septentrion. Entre deux lignes, se coupant à angles droits au point désigné pour représenter Jérusalem, les profils des trois parties du monde connu, Europe, Asie, Afrique, étaient dessinés assez exactement. Mais les limites des régions n'offraient que des lignes droites ou légèrement courbées, sans angles saillants et rentrants. De petites enceintes figuraient les montagnes. Les îles se montraient sous la forme d'un o, et deux lignes parallèles, d'une inexorable rigidité, annonçaient les fleuves. Sur la gauche, un pointillage, fraîchement exécuté, indiquait les terres découvertes depuis peu par Christophe Colomb.

—Sans nul doute, pensait Dubreuil, le passage que je cherche existe; sans nul doute, il se doit trouver, là-haut, vers le 70° de latitude, aux confins de quelque vaste continent. Si la raison, si les connaissances modernes ne nous en donnaient la certitude, les historiens, les géographes, et jusqu'aux poètes de l'antiquité, surgiraient de leurs tombes pour nous l'apprendre. Hérodote parle d'une mer qui se glace par la rigueur du froid, Onomacrite n'affirme-t-il pas que, pour revenir dans leur patrie, les Argonautes ont franchi l'Océan de Saturne? Qu'est-ce que l'Océan de Saturne? Qu'est-ce, sinon la mer du Septentrion? Plus tard, trois siècles après, Antoine Diogène ne compose-t-il pas un roman dont les héros voyagent aussi sous le cercle arctique? Pline le Naturaliste raconte que le célèbre Pythoeas de Marseille, qui vivait en 338 avant Notre-Seigneur Jésus-Christ, a abordé à Thulé, c'est-à-dire en Islande, puisque pendant vingt-quatre heures il a vu le soleil sur l'horizon. Et, ajouta-t-il à voix haute, en plaçant la main sur un manuscrit ouvert devant lui, voici Sénèque qui, dans sa *Médée* lance une prédiction dont un insensé seul oserait contester la valeur:

..... Venient annis Sæcula seris, quibus Oceanus Vincula rerum laxet, et ingens Pateat tellus, Tiphysque novos Detegat orbes, née sit terris Ultima Thule.[1]

[Note 1: Luc, ANN. SENEC. Trag., p. 159.]

Cette Thulé signifie-t-elle autre chose que les régions polaires? On rapporte que, dès le IXe siècle, les Norwégiens se sont élevés jusqu'au 68° de latitude, qu'ils y ont colonisé une île placée sous le 65°, et qu'un de leurs navigateurs, Oshu, envoyé par Alfred le Grand, tenta, en 873, de traverser le pôle. Ne peut-on, par cette voie, se rendre dans le puissant et luxueux empire du Cathay, dont le livre de Marco Polo, que voilà là sur ma table, fait de si féeriques récits?

Oh! trouver ce passage! le trouver! Quelle gloire! Mais je le trouverai, je le veux, et rien ne saurait ébranler ma volonté. Plutôt périr que d'abandonner mon entreprise!...

En achevant ces mots, Guillaume s'était levé le visage rayonnant des feux du génie. Il allait monter sur le pont pour prendre le méridien, quand, soudain, une douzaine de matelots frénétiques envahirent sa cabine, fondirent sur lui et le désarmèrent avant qu'il eût pu faire un mouvement pour se défendre.

Des accusations sauvages, des menaces plus sauvages encore lui étaient jetées à la face. Mais Dubreuil avait trop de superbe pour essayer de se justifier, ou implorer la compassion des rebelles. L'expression de «misérables!» fut la seule qui lui échappa. Aussitôt qu'il eut compris l'impossibilité de faire rentrer les mutins dans le devoir, il se retrancha dans une hautaine impassibilité.

On le garrotta, puis on le transporta sur le tillac, on il fut attaché solidement au pied du grand mât.

Les insurgés délibérèrent ensuite sur son sort. Les uns demandaient sa mort immédiate, d'autres se bornaient à désirer son emprisonnement dans la fosse aux lions. Pour concilier les deux partis, Louison le Borgne, qui s'était alors tout à fait rangé du côté des perturbateurs, proposa de descendre le patron avec une chaloupe à la mer, et de l'y abandonner. Cet avis réunit à l'instant tous les suffrages.

Bientôt un canot flotte à l'arrière du *Saint-Remi.* On y dépose quelques morceaux de biscuit, quelques livres de lard, et on y jette le malheureux Dubreuil, après avoir tranché ses entraves.

Alors, pour la première fois, il daigne ouvrir la bouche.

—Donnez-moi au moins une carte marine, un compas, une boussole, dit-il.

—Non, brigand, tu n'auras rien, répond Cabochard, en lui montrant le poing du haut de la dunette.

Et d'un coup de hache, il largue la corde qui amarrait la chaloupe au vaisseau.

Au même moment, Guillaume vit son second, qui, monté sur le gaillard d'arrière, avait déjà pris le commandement et ordonnait d'une voix retentissante!

—Pare à virer!

II

LES SAUVAGES

Qui,—au sein d'un rêve charmant, où la gloire et la fortune s'unissaient pour lui faire cortège,—n'a été réveillé en sursaut par le ricanement amer de la fatalité. Combien plus lourdement alors pèsent sur les épaules les afflictions qui suivent, qui assaillent le pauvre mortel dans sa pénible marche à travers la vie! combien plus vivement les pointes acérées de l'incertitude pénètrent ses chairs! combien alors aussi, quand son âme n'est pas bardée du triple airain dont parle le poète, le désespoir y a facile accès!

En moins d'une heure, Guillaume Dubreuil avait dû tomber du pinacle des plus brillantes espérances dans un état voisin de la misère la plus complète, la plus irrémédiable. Quel homme n'aurait perdu la tête, ne se serait abandonné à l'abattement!

Voyez-vous ce mince canot, ce fragile esquif délaissé au milieu d'un océan courroucé, dont les vagues vert-sombre ne montrent à l'oeil qu'un gouffre sans fond, et rugissent, comme des tigresses déchaînées, contre les montagnes de glaces, aux tranchantes arêtes, qu'elles bercent avec une amoureuse fureur, en les couvrant de baisers dévorants!

La voyez-vous danser à la pointe des lames, la frêle embarcation! Ne tremblez-vous pas qu'elle soit, tout à l'heure, brisée comme verre ou engloutie dans les flots inexorables!

Et cet homme, ce malheureux, il va périr aussi! Qui le pourrait sauver? Qui pourrait l'arracher aux fatals embrassements de l'abîme jaloux de sa proie? Car loin, loin s'en est allé le navire où naguère commandait en souverain maître cette victime des passions humaines. De son canot il ne distingue plus, hélas! que les perroquets du vaillant *Saint-Remi*, si ferme à la mer, si docile à la brise, si propre à captiver les tendresses d'un vrai marin.

Encore quelques moments, elle hardi vaisseau disparaîtra tout à fait, Guillaume Dubreuil restera seul, seul avec sa pensée en face de l'immensité, de l'éternité.

Rassurez-vous pourtant. Notre capitaine n'a pas été pétri de la même argile que le commun des hommes. Ainsi que sa charpente physique, son moral est un composé de bronze et d'acier, et le sang qui coule dans ses artères a les propriétés du vif-argent.

Dès que l'amarre qui retenait le canot au *Saint-Remi* eut été coupée, Guillaume arrima rapidement ses provisions, puis il fixa dans la carlingue un petit mât oublié au fond de l'esquif, avec une voile, et envergua cette voile, qu'il déploya, après avoir reconnu l'aire de vent.

Il soufflait grand frais du nord-est.

Guillaume savait qu'il ne devait pas être éloigné de plus île deux degrés de la côte du Groënland, où les Danois avaient autrefois formé un établissement. Ce fut vers ce point qu'il essaya de diriger sa course.

Heureusement, il était chaudement couvert; car il faisait un froid des plus vifs. Mais, sans boussole, sans instruments propres à déterminer exactement sa position, l'infortuné ne pouvait compter que sur un hasard bien douteux pour arriver à un port de salut.

La journée fut triste, la nuit plus triste encore. Cependant le courage du capitaine demeurait indomptable, quoique dans la soirée précédente, il eût remarqué qu'il n'avait pas une goutte d'eau abord. Pour remédier autant que possible à ce mal, il s'était approché d'une banquise, y avait assujetti son canot, et, grimpant sur le banc de glace, avait détaché les congélations supérieures, qui, formées par les pluies et les neiges fondues, produisent, on le sait, une eau assez potable.[2]

[Note 2: Les expériences chimiques ont démontré aujourd'hui que la congélation de l'eau a des effets assez analogues à ceux de son ébullition. Le résultat est presque le même. Par exemple, l'eau de mer bouillie se dépouille presque entièrement, par évaporation, des sels qu'elle tient en combinaison. Si l'on condense la vapeur ainsi élevée, la quantité d'eau dégagée de sel égalera environ les deux tiers du tout. Or, ceux qui ont eu l'occasion de s'assurer du fait savent qu'indépendamment des parties qui reçoivent les neiges et la pluie du ciel, la substance des icebergs se composa de deux tiers d'eau pure. Cela est si vrai que les baleiniers, destinés à la pêche dans le détroit de Davis ou sur les côtes du Groënland, n'emportent qu'une faible provision d'eau, certains qu'ils sont d'en trouver en abondance dans les icebergs, ou les îles de glace, comme ils les appellent. Beaucoup de glaçons, de dimensions relativement médiocres, sont même traversés par des veines bleues, remplies d'eau de neige congelée, très-potable.]

Ayant étanché sa soif et recueilli une certaine quantité de ces glaçons pour les besoins à venir, il reprit sa périlleuse navigation.

Le lendemain et jours suivants n'apportèrent aucun changement à la terrible situation du capitaine, sinon que le temps s'adoucit et devint peu à peu supportable. Rappelons-nous, au surplus, qu'on touchait à la fin de juin. Alors, même à une grande élévation dans la mer polaire, l'atmosphère arrive souvent à un degré de chaleur extrême, sans que les glaces qui obstruent l'Océan septentrional subissent d'altérations sensibles.

Quoique Guillaume ménageât ses minces provisions, autant qu'il pouvait sans épuiser ses forces, elles diminuèrent trop vite. Bientôt, il entrevit l'heure où elles lui feraient entièrement défaut. Parfois, ses yeux avides interrogeaient l'espace, cherchant à discerner un cap, une voile à l'horizon. Et rien! rien que des icebergs ou montagnes de glaces bleuâtres, une mer également bleue, un ciel gris d'une désolante monotonie. Parfois aussi un mirage décevant lui faisait prendre pour la terre une de ces masses cristallisées; mais, peu après, la réalité cruelle lui montrait son erreur.

La faim commençait à le tourmenter. Sans succès il avait essayé de pêcher avec une ligne faite des fils de sa chemise et d'un morceau de fer pour hameçon; sans succès il avait essayé d'attraper un de ces goélands qui voletaient fréquemment autour de son esquif et par leurs cris perçants semblaient insulter à sa détresse.

Pour comble de misère, l'eau douce allait lui manquer aussi, car l'Océan se dégageait, et les collines flottantes où Dubreuil allait la chercher se faisaient plus rares.

Un matin, après un jeûne de vingt-quatre heures, il s'éveilla aux torturantes injonctions de son estomac, qui réclamait impérieusement de la nourriture. Sa langue était sèche, ses lèvres eu feu. Pour apaiser la soif ardente dont il était consumé, Dubreuil se mit à laper le givre que la fraîcheur de la nuit, jointe à la chaleur de son corps, avait fait éclore, en blanches étoiles, sur ses vêtements.

Pauvre et insuffisante ressource!

A midi, il se sentait épuisé, lorsqu'une forte brise chassa son canot vers un immense champ de glace qui s'étendait à perte de vue à tribord. On eût dit la côte d'une vaste terre. A mesure qu'il en approcha, Guillaume éprouva une indicible sensation de plaisir. Était-ce une île? était-ce le rivage qu'il demandait à Dieu avec tant d'instance?

Pour la première fois, depuis une semaine, le soleil s'était levé. En éclatant sur la ligne de glace, ses rayons lui imprimaient les couleurs les plus chatoyantes, les formes les plus fantastiques, les plus variées. C'étaient des pics sveltes comme des campaniles, des tours aussi majestueuses que celles de nos basiliques, les unes rondes, d'autres carrées, celles-ci coiffées d'un chapiteau gothique, celles-là munies de créneaux et mâchicoulis. Ailleurs, on remarquait une voûte, une arche de pont; ailleurs une ville avec ses remparts, ses églises, ses monuments publics. Dominant le tout, sur une hauteur, se dressait le royal palais, avec «ses murailles de granit, sa colonnade, sa terrasse italienne, et le soleil qui la colorait la rendait éblouissante, comme un de ces temples d'or où demeuraient les dieux Scandinaves.»

Spectacle enchanteur, unique, que l'on admire dans cette partie du monde seulement, comme si la nature eût voulu la consoler, par des magnificences sans rivales, des duretés si grandes qu'elle a eues, d'ailleurs, pour elle, à tous autres égards!

Malgré sa faiblesse, malgré les besoins pressants qui le tenaillaient, Dubreuil contemplait, ébloui, ravi, du fond de son esquif, le magique panorama déroulé sous ses regards.

Mais il fallait songer à aborder; car, en supposant que ce ne fût pas la rive d'une terre, cette barrière de glace devait procurer au capitaine l'eau qui lui était si nécessaire et peut-être quelque chose à manger!

L'opération présentait de grandes difficultés, notre marin étant fort débile; il n'avait à sa disposition d'autre outil qu'un croc à lance, trouvé dans le canot, et la muraille se dressait perpendiculairement à des hauteurs extraordinaires.

Mais elles étaient déchiquetécs en anses, baies, fiords; et Guillaume espéra trouver une entrée où son canot serait à l'abri des coups de mer et où lui-même pourrait débarquer.

Cette fois, son attente ne fut pas trompée.

Dans un goulet profond, creusé entre deux promontoires de glace, dont le sommet surplombait à plus de trois cents pieds d'élévation, il découvrit une sorte d'escalier naturel, conduisant, par une pente douce, à la crête de ces falaises.

La brise le poussait droit dans le goulet. Il n'eut donc besoin de se servir du croc que pour empêcher le canot de heurter trop violemment, quand il loucha au rivage.

Après l'avoir amarré à une saillie de glace, Dubreuil, s'appuyant au fût de son croc, descendit sur la plage et se mit à genoux, pour remercier Dieu de l'assistance inespérée qu'il venait de lui accorder.

Il n'y a point d'athées dans les grandes infortunes. Jamais l'Être Suprême ne manque de se révéler à elles avec sa sublime éloquence.

Pour courte qu'elle eut été, la prière de Guillaume n'en fut pas moins fervente.

Montant ensuite quelques marches de l'escalier, il but à longs traits, avec cette volupté inexprimable que seuls connaissent ceux qui ont souffert les atroces brûlements de la soif, il but l'eau fraîche qui, sous l'ardeur du soleil, coulait par des rigoles du faite de la banquise.

L'apaisement de ce premier besoin lui rendit une partie de ses forces. Pour surcroît de bonheur, au bout de cinq minutes, et en arrivant à la cime de l'iceberg, il aperçut, dans une crevasse, un nid d'oiseau aquatique, contenant cinq oeufs gros comme ceux du canard. Je laisse à penser si cet aliment sain et nourrissant fut vite avalé!

Un peu restauré, le capitaine examina alors le lieu où il était parvenu.

C'était une plaine de glace sans bornes,—glace à droite, glace à gauche, glace en avant,—qui allait se fondre dans un incalculable lointain, avec la dégradation progressive de l'azur céleste. Pourtant, ça et là, des monticules étincelant au soleil, et, à une longue distance, quelques vapeurs légères, se tordant en spirales dans l'espace, rompaient l'uniformité de ce champ d'albâtre.

Les vapeurs étaient-elles produites par la fumée d'un feu ou par l'un de ces vastes lacs qui, en été, se forment fréquemment au-dessus des banquises? Question bien intéressante pour notre marin! Il tâchait de la résoudre, quand un grondement sourd et caverneux attira son attention d'un autre côté.

Guillaume se tourne avec vivacité et voit, à cinquante pas de lui, un monstre qui s'ébat amoureusement sur la glace.

De couleur grisâtre moucheté de brun, monté sur deux pattes fort courtes, qu'on jugerait incapables de porter le poids de son corps, l'animal avait vingt pieds de longueur, autant de grosseur et la figure générale d'un poisson, sauf la tête, ovale; garnie aux coins de la gueule de soies piquantes et armée de deux défenses, comme celles d'un éléphant».

Son mufle hideux était éclairé par des yeux rouge-vif, qui lui donnaient un air de cruauté sanglante.

C'était une vache marine, morse, walrus ou hippopotame septentrional.

Dubreuil n'en avait pas encore vu; mais il avait lu assez de descriptions de ce gigantesque amphibie pour le reconnaître, il savait aussi que, inoffensif si on le laisse en repos, le morse devient terrible lorsqu'il est attaqué, surtout en mer, où, plus d'une fois, il a renversé et fait chavirer, avec ses redoutables dents crochues, des embarcations chargées d'hommes.

Sans être un mets délicat, sa chair est mangeable. Plusieurs tribus sauvages en font leurs délices, et les pêcheurs européens ne la dédaignent pas.

Guillaume savait encore cela, et il avait faim!

C'est la pire des conseillères que la faim! Mais aussi elle donne de la vigueur à l'impotent, du courage au poltron, de l'habileté au niais. Que ne fait-elle-pas pour celui qui possède naturellement ces qualités! Dubreuil les possédait, les deux dernières du moins, à un degré supérieur:—avec celles-là, on supplée aisément à la première, quand elle ne fait pas absolument défaut.

Mais, pour se risquer à demander sa nourriture à une pareille bête, pesant deux à trois mille livres, il faut avoir des armes, être-en nombre; Dubreuil était seul, il n'avait pas d'armes. Devait-il imposer silence à son appétit? devait-il fermer impitoyablement l'oreille aux gémissements de son estomac? devait-il détourner les yeux de cette masse, de graisse luisante; fascinatrice, j'allais dire parfumée, qui l'entretiendrait dans l'abondance durant des mois entiers! car près du pôle les ménagères ont un avantage très-appréciable: les vivres ne craignent guère la corruption; ils s'y conservent indéfiniment. J'en appelle au mammouth trouvé, vers 1806, à l'embouchure de la Lena, dans une masse de glace où il gisait depuis... le déluge... et avant peut-être!—sans que ses chairs se fussent gâtées, puisque les chiens du XIXe siècle en dévorèrent une bonne partie!

Oui, en y réfléchissant bien, il eût été dur, trop dur d'abandonner semblable magasin de comestibles sans tenter de s'en emparer. Le moyen? Dubreuil fit sonner sur la glace la hampe de son croc à lance, et, vaillamment, prudemment, il marcha droit au morse.

L'animal le vit venir sans trop s'émouvoir, il paraissait plus surpris qu'intimidé.

Dubreuil s'en put approcher assez près pour tenter de lui porter un coup. Tenant ferme la lance par le milieu, il l'éleva à la hauteur de sa tête et la darda de toute sa force contre l'énorme amphibie. Il s'imaginait que le fer allait disparaître tout entier dans son flanc. Point. L'arme rebondit, sans avoir entamé l'épaisse carapace.

Cependant l'hippopotame pousse un grognement de colère. Ses prunelles enflammées flamboient; il dresse son mufle affreux, et, s'affermissant sur la queue, il s'élance, fond contre l'ennemi avec un effroyable fracas. Guillaume a prévu ce mouvement; il est sur ses gardes. Comme le colosse ne se peut mouvoir que tout d'une pièce, Guillaume s'est jeté de côté, et le walrus retombe lourdement, en soufflant comme un boeuf.

De nouveau, le harpon de l'homme est prêt; de nouveau il siffle dans l'air et frappe l'animal. Cette fois il l'atteint à la poitrine, au moment où le morse tournait la tête pour se rejeter sur son agresseur, en conséquence la peau, tendue comme celle d'un tambour, est facile à percer. La lance y plonge jusqu'au crochet. Mais là elle s'arrête; les efforts de Dubreuil ne réussissent pas à la faire pénétrer plus avant.

Le morse se débat; il halète; il rugit. Sous ses griffes la glace vole en mille éclats, et sa queue la fait sonner comme le marteau sur une enclume. Bientôt, néanmoins, par un brusque soubresaut, il s'est débarrassé du fer, et Dubreuil, pris à l'improviste, s'en va rouler à quelques pas, son croc dans la main.

Avant qu'il ait eu le temps de se relever, l'animal a couru sur lui. De ses pieds pesants il lui écrase les jambes. Guillaume sent la bouillante baleine du monstre passer sur-son visage, et ses tranchantes canines lui labourer la cuisse. La mort est là, livide, décharnée, affreuse. Elle réclame une victime. Quelques secondes encore, et c'en sera fait. Du malheureux aventurier il ne restera rien, plus rien que quelques lambeaux de chairs informes. Pas une voix n'ira conter à ses amis son épouvantable destin!

Mais, à cet instant critique, Dubreuil n'a perdu ni son sang-froid, ni la sûreté de son regard.

Étendu sur la glace, le buste à demi redressé, la lance en arrêt, il recueille et thésaurise, pour ainsi dire, dans son oeil et son bras droit, tout ce qui lui reste de vitalité; il vise à la tête et enfonce profondément son arme dans la gueule béante du morse.

Des flots de sang s'échappent, avec un rauque mugissement, de la blessure. Le mammifère recule, par bonds et par sauts, en battant, comme avec un fléau, la glace, du manche du croc demeuré dans la plaie.

Aveuglé, étourdi, mais fou de douleur, fou de rage, il cherche son adversaire, il respire la vengeance.

Dubreuil s'est remis sur pied, réfugié derrière un glaçon, et il essaie de le soulever pour en broyer le corps de l'animal, qui, dans ses convulsions, vient de casser en deux la hampe de la lance.

Malgré sa bravoure, malgré son flegme, le jeune homme frémit en songeant au danger qu'il a couru. Ses mains tremblantes se refusent à le servir, et tout péril n'a point cessé pour lui, lorsque des cris étranges partent derrière, à sa droite.

Guillaume tourna la tête et aperçut une douzaine de bipèdes, si grotesques d'apparence, qu'il se demanda aussitôt si c'étaient des singes ou des êtres humains. Ils n'étaient que poil des talons à la tête, et, de leur visage, on distinguait seulement les yeux, les traits étant masqués par une pelleterie ou par un cuir naturellement et très-épaissement velu.

Hommes ou animaux, ces créatures criaient et gesticulaient à l'envi.

Guillaume aurait été fort embarrassé de se prononcer sur leur espèce, quand l'un de ces individus banda tout à coup un arc qu'il tenait à la main, comme un bâton, y plaça une flèche et la décocha à la vache marine.

Touchée au coeur, elle expira presque immédiatement.

Sa mort fut signalée par un redoublement de clameurs.

Cependant, les sauvages avaient découvert l'homme blanc, et ils s'étaient arrêtés, ne sachant s'ils devaient avancer ou reculer.

La délibération fut courte.

Ils étaient en nombre: plus que suffisant pour avoir peu du chose à craindre de cet étranger.

Celui d'entre eux, qui avait achevé le morse, fit quatre ou cinq pas vers Dubreuil, et, par des signes, l'invita à les joindre.

Il n'y avait pas à hésiter. Le capitaine se rendit à l'invitation.

S'étant approché, il remarqua, tout d'abord, que c'étaient des hommes comme lui, mais un peu moins grands, un peu plus trapus et couverts, de peaux de bête. Ils portaient des arcs, des flèches, des lances, des harpons, le tout paraissant fait avec de la corne ou des fanons de baleine.

L'un de ces indigènes,—une femme probablement,—avait, derrière le cou, un capuchon dans lequel s'agitait un enfant en bas âge.

Ils répétaient fréquemment le mot:

—Uskimé! Uskimé!

Leur langue était d'une douceur particulière, quoique gutturale.

Si Dubreuil était étonné, de la rencontre, ils ne l'étaient pas moins. Timides au début, ils s'enhardirent promptement et se mirent à palper le capitaine, comme s'il eût été un objet curieux dont ils ignoraient le mécanisme ou la structure. Cependant leurs intentions ne semblaient pas mal veillantes.

Observant que les boutons de cuivre de son habit faisaient principalement leur admiration, Guillaume arracha six de ces boutons et les distribua à la bande, dont la joie se manifesta par des vociférations, des transports inimaginables.

—Angekkok! Angekkok (sorcier! sorcier!) criaient-ils sur tous les tons, en dansant autour du marin, qui, s'il ne comprenait pas la signification de ce terme, devinait néanmoins qu'il s'appliquait à un être ou une chose tenue en profond respect par ces gens.

Mais ces témoignages d'amitié et de vénération ne rassasiaient pas Dubreuil. Portant les doigts à sa bouche, il leur fit entendre qu'il avait faim. Toute la troupe se précipita sur le cadavre du morse et le dépeça avec rapidité.

Le sang, l'huile et la graisse coulèrent à torrents. La langue de l'animal fut solennellement offerte au capitaine. Comme elle était crue, il exprima par gestes le désir d'avoir du feu.

Ce désir excita la surprise et les rires des sauvages. Et, pour montrer qu'ils n'en avaient pas ou s'en passaient volontiers, ils s'accroupirent devant les débris de la vache marine et commencèrent à les dévorer, tout pantelants, avec une prodigieuse gloutonnerie, après avoir enlevé le masque de fourrure qui leur cachait le visage.

Ils ne mâchaient pas, ils engloutissaient les morceaux. Que dis-je? empoignant à deux mains un quartier de viande pesant cinq ou six livres, ils le portaient à leur bouche et semblaient l'avaler par aspiration. L'opération ne leur demandait pas plus de quelques minutes, et, dès qu'un quartier avait ainsi disparu, un autre reprenait sa place.

Quel que fût son appétit, Dubreuil ne pouvait se résigner à manger la langue qu'on lui avait donnée. Son coeur se soulevait dès qu'il l'approchait de ses lèvres.

La femme qui accompagnait les Indiens et qui se repaissait à l'écart, s'en aperçut. Lâchant d'une main un cuissot auquel elle était énergiquement attelée, mais le retenant avec les dents, elle tira de dessous son vêtement un poisson fumé, et le présenta à l'étranger.

Le poisson n'était guère plus ragoûtant que la langue; mais, ventre affamé...

Dubreuil ferma les yeux, pour ne point voir la trace sanglante dont les doigts de la charitable dame avaient marqué le cadeau, et il accorda enfin satisfaction à son estomac, en dépit des éloquentes protestations de son palais.

Leur repas fini, les sauvages se partagèrent la carcasse du morse; chacun chargea sur son dos la portion qui lui revenait et ils engagèrent le capitaine à les suivre. Guillaume y consentit volontiers. Mais, avant de s'éloigner, il voulut s'assurer que son canot était solidement amarré au rivage.

C'est pourquoi, en indiquant qu'il allait les rejoindre, il se prit à descendre rapidement les degrés qui menaient au bas de la falaise.

Arrivé au pied, Dubreuil entra dans l'embarcation pour ferler la voile et abattre le mât.

Il y était à peine, qu'un bruit assourdissant, comme la décharge de cent pièces d'artillerie, ébranle l'air, le sol et les ondes. De toutes parts des échos répercutent longuement ce son formidable, et l'un des promontoires de glace qui dominaient le canot de Dubreuil, s'effondre dans l'Océan, au milieu d'un déluge d'eau et d'un tourbillon de neige et de glace pulvérisée.

III

LE GROËNLAND

Comment, enveloppé et entraîné par le cataclysme, Guillaume Dubreuil ne fut pas haché en morceaux, comment il ne, périt pas au fond des ondes, et comment il se trouva subitement transporté de son canot sur un glaçon à l'entrée du goulet, telles sont les questions que, souvent depuis, le capitaine se posa sans les pouvoir résoudre d'une façon satisfaisante. N'étant pas mieux renseigné que lui, nous nous bornons à constater qu'il était alors mouillé jusqu'aux os et épuisé de fatigue.

Probablement, dans la catastrophe, il avait été renversé à l'eau; puis, étourdi, il avait, poussé par l'instinct de la conservation, nagé, s'était accroché à ce glaçon flottant sur lequel il se tenait tout transi, et était parvenu à s'établir au sommet.

Qu'il en soit ou non ainsi, le remous des vagues, après l'accident, charriait le fragment de glace vers la haute mer. La chaloupe avait été submergée: on n'en voyait plus aucun vestige.

S'il n'eût été épuisé, Dubreuil se serait remis à la nage pour gagner la rive. Mais ses forces l'avaient abandonné.

Le glaçon fuyait toujours.

Guillaume éleva les bras vers les sauvages, groupés à la pointe du promontoire faisant face à celui qui venait de s'ébouler. Mais, de la hauteur où ils se trouvaient, à peine pouvait-on distinguer ses signes. L'un des Indiens, cependant, saisit une lance et mira le glaçon. Dubreuil, qui guettait tous leurs mouvements, crut d'abord qu'ils en voulaient à sa vie. Il se roula dans une crevasse, pour se dérober à la visée du sauvage, et l'arme tomba à quelques pieds de lui.

Il s'attendait à recevoir une grêle de traits. Mais remarquant que les Indiens restaient maintenant immobiles, il comprit leur intention. La lance lui avait été envoyée comme un instrument capable de l'aider dans sa périlleuse situation.

En effet, quand il se releva pour la ramasser, les indigènes manifestèrent, par une pantomime expressive leur joie d'avoir été devinés. Longue de douze pieds, cette lance se composait d'une dent de narval fixée à un manche de frêne.

Le capitaine s'en servit tantôt comme d'une gaffe, tantôt comme d'une rame, pour empêcher son radeau de dériver davantage, puis pour le ramener dans la petite anse. Sa lassitude et le retrait de la marée rendaient la besogne ardue. Heureusement, deux sauvages descendirent la côte et vinrent lui prêter leur assistance, en se jetant à la mer et en remorquant le glaçon jusqu'au rivage.

Dubreuil grelottait; quant à ses libérateurs, ils paraissaient aussi à l'aise, dans leurs vêtements ruisselants d'eau, que si de chaudes et sèches fourrures les eussent enveloppés.

Tous trois remontèrent la côte, et la petite troupe se mit en marche, après avoir témoigné le plaisir qu'elle avait de revoir l'homme blanc.

Ces gens étaient d'une taille au-dessous de la moyenne; ils avaient les yeux noirs, petits, perçants, inclinés comme ceux des Tartares; les pommettes des joues saillantes, le teint cuivré; point de barbe. Les traits de la femme différaient peu de ceux des hommes, mais ils étaient moins rudes; elle portait les cheveux relevés et retombant en arrière.

Son costume et celui de ses compagnons avaient une grande ressemblance, à l'exception d'un pan descendant de sa pelisse sur les talons, comme les basques d'un habit, et du capuchon, qui était beaucoup plus ample, car, ainsi que nous l'avons dit, il servait de berceau à un nourrisson.

Ce costume était une jaquette en double peau de renne ou de phoque, poil en dedans, poil en dehors, garni, comme le froc d'un moine, d'un capuce, pour couvrir la tête et les épaules. Le vêtement descend jusqu'aux genoux. Les culottes, de même matière, sont très-courtes. Elles ne montent pas au-dessus des reins, afin de ne point gêner la liberté des mouvements.

Sur leur jaquette, ils portaient une chemise fabriquée avec des intestins de phoque, et, sur le tout, quelques-uns avaient une camisole de peau tannée. De grandes bottes fourrées sans talons, avec plis devant et derrière, également en peau de renne ou de veau marin, complétaient l'habillement, cousu avec des boyaux de poisson, artistement taillé et orné de bandelettes de pelleteries de couleurs variées.

Les couteaux, arcs, flèches, lances dont ils étaient armés, avaient été tirés des ossements de la baleine, des dents du morse ou du narval et des branches du pin ou du frêne.

Tout en marchant péniblement, Dubreuil faisait ces observations, au bout d'une heure, ses yeux, irrités par la constante réflexion des glaces, purent enfin se reposer sur un paysage moins monotone et plus animé, bien propre à réjouir le coeur du capitaine, après les épreuves qu'il venait de subir.

C'était une plaine ou plutôt un vallon verdoyant, enfermé dans de hautes montagnes, plaquées de neiges éternelles. Dépeindre les richesses relatives de ce vallon serait impossible. Je ne saurais le comparer qu'à une oasis dans le désert africain: au fait, n'était-ce pas une des oasis du désert hyperboréen? On n'y voyait pas de majestueux palmiers, sans doute, pas de cocotiers gigantesques, aucun des monarques du règne végétal; mais les bouquets de saules nains aux feuilles d'émeraude, les quinconces de pins, les massifs de petits frênes tremblotant et murmurant à la brise, charmaient le regard déjà séduit par les fleurs chatoyantes qui émaillaient le sol:—l'angélique avec ses ombelles chargées d'or, le romarin, étalant des gueules d'un pâle azur, la cochléaria, penchée sous ses grappes d'albâtre, le thym aux appétissants parfums, et la tormentille, et l'herbe jaune dont la racine a l'odeur des roses, et cent autres plantes communes avec les contrées plus méridionales ou particulières à ce climat.

La scène enchantait Dubreuil, quoique ce fût une faible miniature des riches paysages européens, et comme le dernier effort de la féconde nature expirante. Mais ce qui flattait surtout notre homme, c'était la vue d'une dizaine de cabanes, dans l'une desquelles il espérait pouvoir bientôt reposer ses membres harassés par les labeurs de la journée.

Ces huttes étaient de deux sortes: celles-ci avaient la forme d'un four, celles-là d'un pain de sucre. Les premières paraissaient des demeures stables. Un mur de trois pieds d'élévation, recouvert avec des peaux et des mottes de terre, en composait l'enceinte. On y pénétrait par un trou étroit semi-circulaire. Les secondes ressemblaient à des tentes: pour charpente, elles avaient de longues perches, réunies au sommet comme les branches d'un compas, pour revêtement, des peaux de phoque ou de renne, huilées afin de les rendre imperméables à la pluie.

Le capitaine fut introduit, dans une des loges en pierre.

Comme elle était assez bien éclairée par des fenêtres garnies de boyaux de veau marin en guise de vitres, d'un seul coup d'oeil il embrassa l'intérieur.

La demeure était à moitié creusée dans le sol. Elle pouvait avoir vingt pieds de long, quinze de large. Deux rangées de poteaux, plantés à distance égale les uns des autres, en soutenaient la toiture. Plusieurs familles occupaient cette habitation. Les poteaux indiquaient leur place respective. Au bas de chacun brûlait, sur un trépied, une grande lampe de pierre ollaire ovale, avec une mèche en mousse. Chaque lampe était disposée de façon à s'alimenter elle-même. A cet effet, une branche mince et longue de graisse de baleine ou de phoque était placée près de la flamme, dont la chaleur faisait tomber l'huile goutte à goutte dans le vase. Au-dessus de la lampe pendait encore une espèce de chaudière, aussi en pierre, destinée à cuire les vivres; au-dessus enfin s'étendait un échafaud avec un filet nommé *muctat*, où séchaient des vêtements. Des bancs ou des claies tapissés de peaux, et posés entre les poteaux, à deux pieds du sol, tenaient à la fois lieu de lits et de sièges.

Au moment où Dubreuil entra dans la loge, quelques femmes causaient et caquetaient à une extrémité de ces lits; des hommes, tournant le dos aux femmes, fabriquaient des armes, à l'autre extrémité.

Dans la hutte, la chaleur était extrême, mais, malgré la grande quantité de lampes, il n'y avait pas le plus léger nuage de fumée. En revanche, une puanteur écoeurante de graisse, d'huile, d'immondices de toute nature provoquait, chez l'étranger, d'insurmontables nausées, et lui faisait maudire la délicatesse de ses nerfs olfactifs.

Quoique le capitaine fût plus habitué aux fétides exhalaisons d'un bateau-pêcheur qu'aux parfums d'un boudoir, il ne put s'empêcher de reculer.

On lui fit signe de se déshabiller. Il pensait que c'était pour sécher ses vêtements; mais c'était pour lui faire honneur, car telle est la coutume de ces peuples. Ancien mousquetaire, marin d'aventure, Dubreuil ne comptait pas la chasteté parmi ses qualités cardinales; cependant il éprouvait une certaine répugnance à se montrer dans l'état adamique devant ces femmes, dont quelques-unes n'étaient vraiment pas laides du tout.

Ses hôtes, qui ne comprenaient rien à son hésitation, crurent lui rendre service en se constituant ses valets de chambre. Eux-mêmes s'étaient déjà mis dans le plus primitif appareil. Il n'eut bientôt rien à leur envier à cet égard.

On lui offrit à manger; mais Dubreuil avait plus sommeil que faim; et il se jeta sur un lit, où sa pudeur offensée put enfin calmer ses alarmes sous une soyeuse peau de renne.

Le lendemain, Guillaume, convenablement reposé et remis de ses fatigues, commença à étudier la langue et les moeurs des gens au milieu desquels la destinée l'avait envoyé.

Dès qu'il connut le mot *kina*, signifiant qu'est-ce que cela? il apprit le nom de tous les objets qui se présentaient à ses sens, et l'écrivit, avec un os pointu pour plume et du sang de phoque pour encre, sur une peau de cet animal passée à la pierre ponce.

Tout d'abord, il remarqua que beaucoup de termes ont une analogie frappante avec le latin, comme *kunà*, femme, *kutte*, goutte, *igneh*, feu, *asqua* (prononcez *esqué*), eau, et, en peu de temps, il entendit les indigènes et sut s'en faire entendre.

Alors, Dubreuil apprit qu'il se trouvait à la pointe orientale du Groënland, pays plus proprement nommé par les naturels Succanunga ou Terre du Soleil, et plus tard par les Celtes *Grianland*, Terre d'Apollon ou du Soleil, ce qui était conforme au nom indigène et au bon sens, car appeler, comme le firent ensuite les navigateurs danois, Groënland ou Terre Verte, une région relativement aussi dépourvue de produits végétaux, est une dérision, une absurdité qu'explique toutefois, jusqu'à un certain point, la similitude qu'il y a entre l'expression celtique Grianland et l'expression danoise Groënland. Terre du Soleil est bien plus admissible, puisque, pendant les deux mois d'été, la réflexion de cet astre sur les glaciers rend, à certaines heures, la chaleur insupportable et donne à la contrée l'aspect d'une vaste fournaise chauffée à blanc.

Dubreuil apprit aussi que les aborigènes étaient des Uskimé: par abréviation, Uski, baptisés par nous Esquimaux, Mangeurs-de-viande-crue, suivant le père Charlevoix. Cette traduction, adoptée avec trop de facilité, est erronée: Uskimé, corruption d'*esqué*, plus l'adjonctif *mé*, se doit rendre par Gens-des-Eaux.

Quoi qu'il en soit, les Groënlandais traitaient parfaitement notre ami, qui s'accoutumait peu à peu à leur genre de vie, sauf pourtant à l'abominable malpropreté dont ils se font une gloire; car, pour exprimer leur odeur de prédilection, ils disent,—le vocable n'est pas plus barbare que l'idée qu'il comporte,—*«niviarsiarsuanerks»*, «cela sent un parfum de vierge». Or, qu'est-ce, pour eux, qu'un parfum du vierge?—Chaste muse, viens à mon secours, inspire-moi une périphrase assez voilée pour ne point blesser les oreilles trop pudiques.—Le parfum des vierges esquimaues, c'est le parfum de l'eau que toutes les femmes,—voire les hommes,—sauvages ou civilisées, blanches ou rouges, noires ou jaunes, distillent naturellement, quand un prosaïque besoin se fait sentir, et dont les élégantes du Groënland se lavent le visage et s'oignent les cheveux, comme nous ferions avec de l'huile antique ou de l'eau de Cologne[3]. Mais ne nous moquons pas trop de ces simplesses. Le temps n'est pas loin où nos grands-pères faisaient à peu près de même, et, à la campagne comme à la ville, plus d'un contemporain formaliste pratique encore sans s'en flatter des usages d'un goût aussi équivoque.

[Note 3: Le missionnaire danois Hans Egède, qui est resté vingt-cinq années au Groënland, et qui confirme ce curieux détail de moeurs, ajoute:

«Ainsi lavées, elles s'exposent à l'air froid, et laissent geler leur chevelure mouillée, pour en montrer la longueur.»]

Guillaume Dubreuil essaya, par des remontrances, de corriger les Uskimé de leur saleté sordide; tous rirent au nez de l'*Innuit-Ili*, l'Homme-Blanc, comme ils l'appelaient, tous, excepté sa charmante institutrice, la douce *Toutou-Mak*, la Biche-Agile, fille de son hôte, *Tri-u-ni-ak*, le Renard.

C'était elle qui lui donnait obligeamment des leçons dans l'idiome succanunga; c'était pour elle qu'il avait le plus de penchant; et, certes, son affection était largement payée de retour.

Afin de lui plaire, Toutou-Mak avait renoncé à beaucoup des modes de son pays. L'eau de neige fondue servait maintenant à ses ablutions journalières; elle rinçait les vases où elle mangeait, et s'abstenait—devant le capitaine au moins—de cette friandise animale qu'on trouve d'ordinaire près du cuir chevelu, et dont tous les Indiens sont si gourmands! Elle avait encore apporté d'autres modifications notables dans ses manières et sa toilette. Aussi, par moquerie, ses compagnes l'avaient-elles sobriquetisée *Innuit-iliounà*, la femme de l'Homme-Blanc.

Sa femme! oh! elle eût bien voulu l'être! Mais Dubreuil était loin alors de songer au mariage. Sa tendresse pour la jeune fille n'allait point jusque-là. Il ne soupçonnait même pas l'amour qu'il avait allumé dans le coeur de Toutou-Mak.

Un jour, il la surprit pleurant derrière un épais buisson de genièvre.

—Qu'a donc ma petite soeur? dit-il en s'asseyant près d'elle.

La Biche-Agile rougit, cacha sa tête dans ses mains, et répondit par une explosion de sanglots.

Guillaume reprit doucement avec intérêt:

—Toutou-Mak ne veut-elle se confier à son ami? Peut-être trouvera-t-il en son coeur des consolations pour elle. Toutou-Mak sait que l'Homme-Blanc connaît beaucoup de secrets ignorés des Uski.

—Ah! murmura-t-elle, je suis bien malheureuse!

—Pourquoi, malheureuse! A-t-on fait de la peine à ma soeur? S'il est en mon pouvoir de la soulager, je la soulagerai, dit-il en écartant les mains que l'Indienne tenait encore sur ses yeux.

Elle était vraiment gracieuse, la jeune Toutou-Mak, malgré les larmes qui coulaient en ruisseaux le long de ses joues, et malgré un matachiage[4] figurant deux menues lignes noires au-dessus des sourcils, et trois ou quatre semblables à chaque coin de la bouche, comme les barbes d'un chat.

[Note 4: Sorte de peinture usitée parmi les Américains du Nord.]

Elle avait l'oeil bleu, brillant, bien fendu, le nez légèrement aquilin, les lèvres petites, d'un aimable contour, le teint clair, presque rose, et une merveilleuse chevelure aussi noire que des fanons de baleine, qui, déployée, tombait sur ses talons.

Le tatouage lui donnait une physionomie féline, nullement messeyante.

Cette jolie tête était encadrée par de magnifiques *rogigla*, tresses de cheveux flottant de chaque côté et attachées par des lanières de peau de daim roulées en spirale; elle reposait sur de larges épaules nouées à un buste svelte, dont une casaque de peau de renne, bordée de duvet de cygne et étroitement serrée à la naissance de la taille, faisait admirablement ressortir la cambrure. Le pantalon était en cuir d'élan, couleur chamois, brodé aux coutures et agrémenté avec des bandes de vison. Des bottes, doublées en peau de lièvre aussi blanche que la neige, emprisonnaient son pied mignon.

A ses oreilles pendaient deux de ces grosses perles qu'on trouve en abondance dans les criques de la côte groënlandaise.

—Ah! jamais mon frère n'y pourra rien, dit-elle en détournant le visage pour essuyer ses pleurs.

—Toutou-Mak doute-t-elle de mon pouvoir?

—*Nème! nème* (non, non)! Je sais qu'Innuit-Ili est puissant, bien puissant, que sa force et son adresse dépassent celles des Uski; mais il ne peut rien pour la pauvre Toutou-Mak.

Après ces mots, les gémissements recommencèrent.

—Toutou-Mak ne connaît pas encore son frère, dit avec fierté le capitaine qui, par diverses preuves de sa science, surtout en astronomie, avait déjà conquis un grand ascendant sur les Groënlandais.

—*Ep! ep* (oui, oui)! je les connais, répondit avec vivacité la jeune fille; mais rien ne résiste à Pumè.

—A Pumè! répéta Dubreuil, haussant les épaules.

—Oh! Pumè jette la maladie et la mort où il lui plaît, continua la Biche-Agile d'un ton terrifié.

—Ma soeur le croit-elle?

Et Dubreuil se mit à rire de bon coeur.

—J'en suis sûre, dit gravement Toutou-Mak.

—Ma soeur l'a vu?

—Oui, je l'ai vu.

Le capitaine fit un geste d'incrédulité.

—La langue de Toutou-Mak ne ment pas, dit-elle. Pumè a voulu que ma mère mourût, parce qu'elle refusait de lui laisser épouser sa fille, ma soeur, et elle est morte.

—Et la soeur de Toutou-Mak a épousé alors le meurtrier de sa mère?

—Oui.

—Elle l'aimait donc bien!

—Non, elle ne l'aimait point.

—Je ne comprends pas, dit Guillaume tout surpris.

—Ma soeur était forcée de devenir la femme de Pumè; sans cela, il l'aurait fait périr avec mon père et moi.

—Mais comment?

—Par ses charmes.

—Ses charmes! On ne punit donc pas les assassins, au Succanunga?

—Punir un angekkok (sorcier)! mon frère y songe-t-il? Mais si c'était sa volonté, Pumè engloutirait notre tribu entière sous les glaces de ces montagnes! s'écria-t-elle avec une profonde épouvante, en désignant du doigt la chaîne de glaciers qui les entourait.

—Alors, reprit Dubreuil, après un instant de silence, c'est ce mariage qui afflige Toutou-Mak.

—Ce mariage? oh! non! fut-il répondu avec ingénuité. Ce qui m'afflige, ajouta-t-elle d'une voix altérée, c'est que...

—Eh bien?

—Ma soeur n'a pas d'enfants.

—Toutou-Mak désirerait avoir des neveux ou des nièces? dit Dubreuil en souriant.

—Oh! oui.

—Si elle aime tant les enfants, que ne se marie-t-elle à son tour? Toutou-Mak a la beauté de l'aurore naissante, l'agilité du renne, l'industrie du castor, il ne lui serait pas difficile de trouver un époux.

Pendant qu'il prononçait ces paroles, l'indienne rougissait et pâlissait.

Tout à coup, elle se leva, comme pour s'enfuir.

Le capitaine l'arrêta par la manche de son vêtement.

—D'où vient, dit-il, que ma soeur me quitte?

—Ah! mon coeur est gros. Innuit-Ili, laisse-moi.

—Quand Toutou-Mak m'aura appris le motif de sa douleur, dit-il en la faisant rasseoir.

—Le motif de ma douleur...

—Oui, parle... Aimerais-tu quelqu'un?

La Biche-Agile tressaillit, lança à son interlocuteur un regard de reproche, puis tristement baissa les yeux.

Ce regard, il avait passé inaperçu. Dubreuil avait l'esprit ailleurs. Il lui avait semblé ouïr un léger bruit près d'eux.

—Je me suis trompé, ce n'est rien, murmura-t-il, tandis que la Groënlandaise disait:

—Oui, j'aime quelqu'un, mais ce n'est pas Pumè...

—Assurément s'il a provoqué la mort de ta mère...

Toutou-Mak l'interrompit avec violence:

—Oh! non, je ne l'aime pas, je le déteste!... il me fait horreur!

—Mais, tu disais, ma soeur, que tu aimais quelqu'un? fit Guillaume en caressant la main de la jeune fille dans la sienne.

La Biche-Agile devint pourpre à cette question, et Dubreuil sentit ses doigts frémir.

—C'est donc un secret? insinua-t-il tendrement.

—C'est le secret de mon coeur.

—Oh! s'écria Guillaume, le sourire aux lèvres, je n'exige pas une confession de ma soeur. Ce que je désire savoir, c'est la cause de son chagrin, afin de l'adoucir s'il est possible.

—La cause de mon chagrin, je te l'ai dite, mon frère, repartit la sauvagesse avec un profond soupir.

—Tu me l'as dite? je ne me rappelle pas...

—Ma soeur n'a pas d'enfants.

—N'est-ce que cela?

—Tu es cruel, Innuit-Ili!

—Cruel! moi! s'écria-t-il, en se penchant pour lui donner un chaste baiser, qui répandit de voluptueux, frissons dans les veines de la jeune fille.

Un froissement de branchages se fit entendre.

Dubreuil se leva et regarda autour de lui.

Mais il ne vit d'autres personnes que cinq ou six indigènes, causant devant les cabanes, à une centaine de pas de distance.

—Enfin, dit-il, après s'être replacé à côté de Toutou-Mak, explique-moi pourquoi je te parais cruel.

—Parce que tu te railles de moi. Je t'ai dit que je haïssais Pumè et que sa femme, ma soeur n'avait pas d'enfants, et tu as répondu: Qu'est-ce que cela fait?

—Je le répondrais encore, répliqua Dubreuil fort étonné.

—Ignores-tu donc, mon frère, que les hommes ont coutume chez nous de répudier une femme stérile?

—Je l'ignorais en effet. Je conçois ta tristesse...

—Ce n'est pas tout, hélas! proféra-t-elle avec l'accent du désespoir.

—Pas tout?

—Quand la femme répudiée a une soeur, poursuivit la Groënlandaise d'une voix tremblante, le mari a droit de prendre cette soeur pour épouse.

En achevant, elle se remit à sangloter amèrement.

—Alors, Pumè...

—Pumè veut que je l'épouse!

—Quoi! ce misérable jongleur! ce vieux barbon à cheveux blancs! cet invalide décrépit, épouser une créature aussi fraîche, aussi ravissante! Les glaces de l'hiver prétendre étouffer les fleurs du printemps! oh! cela ne sera pas, pensa le capitaine.

Et, tout haut, il dit:

—Rassure-toi, ma soeur. Pumè, l'odieux Pumè, ne flétrira point tes charmes. Je parlerai à ton père. Il m'écoutera...

La Biche-Agile secoua mélancoliquement la tête, d'un air négatif, en disant:

—Il n'écoutera pas Innuit-Ili. Pumè peut ce qu'il veut. Toutou-Mak mourra ou sera sa femme.

—Jamais! s'écria Dubreuil, saisissant la jeune fille entre ses bras et la serrant contre sa poitrine.

—Ce soir, elle sera l'épouse aimée de Pumè, dit à ce moment derrière eux une voix chevrotante et moqueuse.

IV

L'ANGEKKOK-POGLIT

Disséminés sur le littoral des mers polaires, les Esquimaux ont été divisés en cinq groupes: les Aléoutes, dans les îles de ce nom, entre l'Amérique septentrionale et l'Asie, les Tchoutches, aux limites des deux continents; les Grands-Esquimaux, depuis la rivière Mac-Kenzie jusque et y compris l'archipel Baffin; les Petits-Esquimaux ou Labradoriens; les Groënlandais, qui s'étendent du 59° de latitude nord au 70°.

Vers le quinzième siècle, ils comptaient plus de cent mille individus. Aujourd'hui, on aurait de la peine à en trouver dix mille.

Toutes ces tribus ont assurément une origine tartare. Les traits de leur visage, leurs habitudes méfiantes, réservées, et surtout leur invincible disposition à la vie nomade, prouvent la véracité de cette assertion. Il est présumable que les uns se sont avancés à l'ouest, et se sont jetés sur la Laponie, où l'on trouve des canots semblables, par leur construction, à ceux des Groënlandais et des Esquimaux de la baie d'Hudson. Les autres, se portant au nord et à l'est, peuplèrent le pays des Samoièdes, puis, par accident ou intentionnellement, se risquèrent à travers le détroit de Behring, atterrirent en Amérique, d'où ils se répandirent jusqu'à l'embouchure du golfe Saint-Laurent. Ils tentèrent même d'envahir l'île de Terre-Neuve; mais ils furent constamment repoussés par les Mic-Macs et les Indiens Rouges, comme nous le verrons dans le cours de ce récit.

Les belliqueux indigènes méridionaux n'aimaient pas ces gens du nord, timides, tristes, à qui ils attribuaient leurs insuccès à la chasse. De là des rivalités terribles qui n'ont pas encore cessé. Il en devait être ainsi: l'extérieur de l'Uski, vêtu de ses peaux adipeuses, la tête encapuchonnée, le corps déprimé, contrastait d'une façon trop remarquable avec la taille élevée, gracieuse, et l'air martial de l'homme rouge, rompu à la guerre et furieux des tendances usurpatrices des nouveaux venus.

Les Esquimaux, d'humeur douce, craintive, superstitieuse, se reléguèrent sur les parties les moins favorisées du continent. Le nord, ses glaces et ses froids noirs furent pour eux,—l'ouest avec ses splendides prairies, ses forêts giboyeuses, pour leurs adversaires.

Les Uski n'ont point de gouvernement, point de chefs politiques; mais il s subissent le joug du despotisme religieux, représenté par le corps des *angekkut* ou jongleurs.

Ces Angekkut ont pour auxiliaires subalternes de vieilles femmes, appelées *illirsut*, et sont commandés, dans chaque tribu, par un *Angekkok-poglit*, jongleur en chef, premier vicaire, de *Torngarsuk*, l'Être-Suprême.

Or Torngarsuk a naturellement sa cour. Parmi les divinités de second ordre qui lui font cortège, je citerai *Innerterrirsok*, le Modérateur, parce qu'il ordonne, par la voix des Angekkut, de s'abstenir de certains actes ou de les commettre;*Erloersortuk*, littéralement le Videur parce qu'il vide les cadavres et se nourrit des intestins, les *Innuoe*, ou habitants des mers; les *Ingnersoits* qui cabanent sur les rochers, les *Tunnersoits*, esprits du feu: les *Innuarolits*, pygmées vivant sur la côte orientale du Groënland, les *Erkiglits*, géants, par opposition, qui résident aux mêmes lieux, *Sillagiksortok*, génie du temps, il demeure au faîte des montagnes; *Nerrim Innua*, préposé aux règles du jeûne; enfin les *Tornguk*, sortes d'anges gardiens chargés d'inspirer les Angekkut et de les protéger.

Chaque Angekkok a le sien qui accourt à son appel, après des invocations dans les ténèbres, lui enseigne l'art de guérir les affligés, de rendre fécondes les femmes stériles, de faire des conjurations; des excursions au Ciel, etc.

N'entre pas qui veut dans la corporation redoutable des Angekkut. Le clergé de tous les pays a établi autour de lui un inviolable rempart. Si quelque Uski aspire à la dignité d'Angekkok, s'il veut être initié aux saints mystères, il lui faut d'abord faire une retraite, s'éloigner de ses compagnons. (Toujours et partout la même pratique.)

Une fois en solitude, il cherche une grosse pierre, et, quand il l'a trouvée, s'assied auprès, et prie Torngarsuk de lui être propice. Le dieu apparaît aussitôt. Effrayé à sa vue, le néophyte s'évanouit et meurt. Mort il demeure trois jours entiers; après quoi il ressuscite, et revient, animé d'une ardeur nouvelle, à sa cabane.

Le voilà reçu Angekkok. Les pouvoirs ne lui manquent pas. Cure des maladies, communications avec Torngarsuk; prévision de l'avenir; soin des affaires de la tribu; connaissance des époques favorables pour chasser ou pêcher; ascension au Ciel: il est apte à tout, même à descendre, comme feu Orphée: aux Enfers, c'est-à-dire aux plus profondes régions de la Terre, où le farouche Torngarsuk tient sa cour. Un jeune Angekkok ne doit cependant entreprendre le voyage qu'en automne, par la raison qu'alors le Ciel le plus bas,—l'arc-en-ciel, d'après les Esquimaux,—est plus près de la Terre.

Le voyage n'est pas aussi périlleux qu'il paraît tout d'abord.

Par une nuit bien sombre, on s'assemble dans une hutte; on s'assied; l'Angekkok arrive; il se fait attacher la tête entre les jambes, les mains derrière le dos. A côté de lui, un tambourin est placé. Les fenêtres, les portes sont hermétiquement fermées, toutes les lumières éteintes. L'assemblée entonne un chant traditionnel. Ensuite, le jongleur se met à faire des incantations: il prie, crie, se démène. Une voix formidable ne tarde pas à lui répondre. C'est celle de Torngarsuk, ou plutôt celle de notre sorcier, ventriloque de première force. Les assistants n'en sont pas moins frappés de stupeur. Nul n'oserait douter que Torngarsuk ne converse avec l'angekkok. Mettant les moments à profit, ce dernier se débarrasse des liens, monte à travers le toit de la cabane, et franchit les airs, jusqu'à ce qu'il parvienne au plus élevé des Cieux, où résident les âmes des bienheureux angekkut-poglit, qui s'empressent de lui donner les avis dont il a besoin. Une minute suffit à toutes ces opérations. N'êtes-vous pas convaincu, allez vous en assurer!

C'est là le premier degré de l'angekkokisme; mais, pour atteindre au rang d'angekkok-poglit, il est nécessaire de traverser plus d'un grade inférieur, de subir de nombreuses et dures épreuves.

Le candidat à ce haut office est garrotté, comme nous venons de dire, dans une loge ténébreuse. Le silence se fait. Soudain part un cri déchirant, puis des gémissements mêlés à des grondements féroces, un râle d'agonie, enfin, une exclamation de triomphe.

Bravo, ami angekkok!

On rallume les lampes, et le sorcier, libre de ses entraves, raconte à l'auditoire émerveillé qu'un ours blanc est entré dans la pièce, qu'il l'a saisi par le grand orteil avec ses dents, traîné au bord de la mer, où il s'est précipité avec lui. Là, un morse les a reçus, attrapés par une partie dont on tait le nom chez les civilisés, et dévorés en deux bouchées, ni plus, ni moins. Un à un, ses ossements sont revenus dans la hutte, son âme s'est alors levée du sol, et a de nouveau insufflé le feu de vie dans son corps.

Dès que le brave jongleur a fini son discours, les assistants battent des mains, frappent des pieds, poussent des ouah! assourdissants, et notre homme est passé Angekkok-poglit de la tribu, ou Grand-Maître de l'ordre sacro-saint des Angekkut, tyran en chef de cette fortunée tribu, par la grâce indéniable de Torngarsuk.

Le principe du droit divin reconnu au Groënland!

Or, c'était un honorable angekkok-poglit que Pumè, la Baleine, qui avait daigné abaisser ses regards sur la charmante Toutou-Mak.

Jugez si les répugnances de la jeune fille étaient supportables! Et c'était ce même angekkok-poglit, Pumè, la Baleine, qui, tapi dans le buisson de genévrier,—l'espionnage n'est pas du tout de mauvais ton, là-bas, au Succanunga—avait écouté l'édifiante conversation de sa future femme avec Innuit-Ili, l'Homme-Blanc! Jugez de son courroux!

Cet Homme-Blanc, Pumè ne l'aimait guère; disons mieux, il l'abhorrait. En pouvait-il être autrement? Dubreuil ne partageait pas le respect général pour sa révérende personne, il tournait ses mômeries en ridicule; il affichait des connaissances que Pumè n'avait pas, lui le docte des doctes, il poussait l'audace jusqu'à nier positivement l'omnipotence de Torngarsuk! O malheur! ô calamité! l'inquisition était chose encore ignorée au Groënland! Cependant, avec quelle suave volupté l'angekkok-poglit eût assouvi sa soif de vengeance! Pourquoi les Esquimaux sont-ils des sauvages bénins et hospitaliers? Que ne sont-ils plutôt initiés aux raffinements de la civilisation! Leurs prêtres sauraient comment on traite les irréligieux, les mécréants! Et la gloire du vrai Dieu y trouverait à s'exalter!

Au défaut de torture physique, Pumè essaya bien la torture morale contre le misérable étranger. Il fit circuler parmi les Illirsut le bruit que l'Homme-Blanc avait été envoyé au Succanunga par l'Esprit du mal, en ajoutant qu'il fallait le chasser pour préserver la contrée d'une ruine totale. Fidèles au mot d'ordre, les sorcières se firent les échos de l'angekkok.

Mais leurs clabauderies, leurs intrigues n'eurent aucun effet.

Dubreuil s'était conquis la sympathie générale. Il rendait aux Esquimaux une foule de petits services. Il leur enseignait à fabriquer des instruments nouveaux, à simplifier, à perfectionner les anciens, il était adroit, gai, fort comme dix Uski. On l'admirait autant qu'on le chérissait.

Ne réussissant pas à le renvoyer, Pumè se vit obligé de le tolérer, jusqu'à ce que se présentât une occasion de le faire disparaître.

—Ce soir, répéta-t-il, en sortant brusquement de sa cachette, ce soir Toutou-Mak sera l'épouse de l'angekkok-poglit.

—Et moi, je dis que non! s'écria Dubreuil furieux en faisant un mouvement pour se jeter sur le vieillard.

—Tais-toi! tais-toi, mon frère! il te tuerait par ses enchantements! intervint la Biche-Agile, remplie d'effroi, et qui s'était cramponnée au jeune homme afin de l'arrêter.

—Oui, nasilla pour la troisième fois, de sa voix éraillée, Pumè, en s'éloignant, oui, ce soir, Toutou-Mak partagera ma couche.

—Oh! mais, je jure bien que tu ne l'auras pas, vilain imposteur! repartit Dubreuil en français, oubliant dans son indignation que l'angekkok ne pouvait l'entendre.

—Laisse-le aller, mon frère, dit Toutou-Mak.

—Oui, qu'il aille au diable! s'écria le capitaine, toujours dans sa langue maternelle.

—Que dis-tu donc, Innuit-Ili?

—Je dis, répliqua le capitaine en groënlandais, que tu n'épouseras point ce vieux scélérat.

L'Indienne secoua désespérément la tête.

—Il le faut, murmura-t-elle.

—Il le faut? Qui peut t'y forcer?

—Lui!

—Pumè?

—Oui, Pumè.

—Allons donc!

—Mon frère, ses charmes sont infaillibles.

—Ses charmes! une duperie!

Et Dubreuil haussa les épaules.

—Je t'ai dit, reprit sérieusement la Biche-Agile, que sa puissance était surhumaine.

—Je n'y crois pas.

—Il a déjà tué ma pauvre mère.

—Alors, ma soeur, tu es disposée à te soumettre au caprice de cet insigne mystificateur!

—Puis-je faire autrement? soupira la jeune fille.

—Cela ne me paraît pas difficile.

—Mon frère se trompe. Il n'est point du la moine race que les Uski, il ne comprend pas que leurs angekkut-poglit ont reçu de Torngarsuk un pouvoir illimité sur eux.

—Peuh! proféra le capitaine du bout des lèvres.

Puis, après un moment de réflexion, il ajouta:

—Mais ne m'as-tu pas confié que tu aimes quelqu'un?

L'Indienne tressaillit, pencha la tête, et de l'extrémité de sa botte tracassa le gazon.

—Ne dois-je plus rappeler ce souvenir? demanda Guillaume en la regardant avec une curiosité malicieuse.

Toutou-Mak releva son visage. Il était baigné de larmes.

—Ah! ma soeur, ma bonne soeur, je t'ai fait de la peine, pardonne-moi! s'exclama le jeune homme d'un ton attendri.

—Non, mon frère, dit-elle, tes paroles n'ont pas fait de peine à la fille de Triuniak. Elle aime quelqu'un.

—Qui l'aime bien aussi, assurément, se hâta d'avancer Dubreuil.

Il y eut une pause, pendant laquelle l'Indienne, à son tour, fixa les yeux sur son interlocuteur.

Sans savoir pourquoi, celui-ci se sentit troublé.

—Eh bien, reprit-il avec vivacité, s'il t'aime, pourquoi ne pas fuir avec lui?

—Fuir! la vengeance de Pumè retomberait sur mon père et ma famille. Toutou-Mak, n'est point lâche.

Le capitaine admirait ce singulier mélange de superstition aveugle et de noblesse de caractère.

—Si, dit-il, je connaissais celui que tu aimes, je saurais bien l'engager à te déterminer.

—Tu le connais! tu le connais, Innuit-Ili! mais jamais ni lui ni d'autres ne me décideront à sacrifier mes parents à mon amour, s'écria-t-elle, en se précipitant vers Dubreuil avec une expression et un geste qui éclairèrent enfin celui-ci sur la nature des sentiments qu'il avait inspirés à la Groënlandaise.

Son coeur battit violemment, il l'attira contre son sein, et lui dit d'une voix vibrante d'émotion:

—Si c'est moi que tu aimes, Toutou-Mak, ah! si c'est moi que tu aimes, je te sauverai, ou je périrai avec toi!

Et en prononçant ces mots, il déposa un baiser passionné, sur les lèvres de la jeune fille.

L'aimait-il d'amour? Oui, il l'aimait ainsi, dans ce moment. Quel homme, jeune, impressionnable et vigoureux, peut résister au doux aveu de tendresse d'une jeune, fraîche et belle jeune fille?

Dubreuil était sincère ou croyait l'être. Certainement rien alors, pas même sa vie, ne lui eût coûté pour arracher Toutou-Mak au sort que semblaient lui réserver ses terreurs religieuses.

—Fuyons! s'écria-t-il, fuyons!... il y a, dans un lieu que je sais... près de la côte, un canot... viens! nous gagnerons quelque île voisine...

—Jamais, mon frère, je te le répète...

—Folle!

—Non, poursuivit-elle résolument, je n'abandonnerai pas mon père au courroux de l'angekkok.

Dubreuil voulut l'enlever, l'entraîner. Mais elle glissa entre ses bras et courut de toute sa vitesse vers les cabanes.

Notre aventurier la suivit à petits pas, en réfléchissant à cette scène bizarre.

Le soleil s'était couché derrière les glaciers, et le crépuscule jetait sur le vallon son voile de gaze légère.

Guillaume rentra dans la cabane de Triuniak. Mais il n'y trouva ni celle qu'il cherchait, ni son père. Il sortit de nouveau. On roulement de tambourin l'attira près de la loge habitée par l'angekkok-poglit. Les Esquimaux s'y introduisaient en foule. Il les imita, pensant que Toutou-Mak pouvait être à l'intérieur.

Mais là tout était ténèbres.

La voix de Pumè se faisait, entendre. Il annonçait avec emphase qu'il venait de soustraire à Leorugolu son *aglerutit*, lequel lui avait ordonné de prendre pour femme Toutou-Mak, seconde fille de Triuniak.

Vous plaît-il de savoir ce que c'est que Leorugolu, cette nouvelle, divinité de la mythologie, esquimaue?

Oyez:

Le haut et puissant seigneur Torngarsuk est marié comme un simple mortel. Il a épousé Leorugolu, dame fameuse, du cap Farewell au détroit de Behring, par sa prodigieuse hideur. Les dieux n'ont, paraît-il, pas le même goût que nous. L'empire du couple divin est fixé au centre de la Terre. Leorugolu règne sur tous les animaux marins, comme les narvals, les morses, phoques, baleines, etc. Un chien monstrueux garde l'entrée de sa demeure. Souvenez-vous du

Cerbère antique! Un angekkok se présente-t-il à la porte, le molosse annonce le visiteur par des aboiements qui mettent les mers en furie. Voilà tout le secret des tempêtes. Si l'on veut pénétrer dans le palais, il faut attendre le moment où le mâtin s'endort. Son sommeil ne dure qu'un instant, seul un angekkok-poglit connaît cet instant. A force de patience et de ruse, il réussit à tromper la vigilance du terrible portier, et voici notre angekkok parvenu en une salle immense, où l'on remarque, avec Leorugolu, et placé sous une lampe, dont l'huile dégoutte par-dessus les bords, un vaste bassin, dans lequel nagent et s'ébattent toutes sortes d'oiseaux aquatiques.

Vraiment l'optimiste le plus enragé fermerait les yeux devant la maîtresse de céans. Elle a, déclarent ceux qui l'ont vue, la main grosse comme la queue d'une baleine, et les Esquimaux affirment qu'elle assomme un homme d'une chiquenaude. Je m'en rapporte volontiers à eux. Mais le lecteur me saura gré de ne pas pousser-plus loin la description.

A toute grandeur, tout honneur. Aussi comprendra-t-on aisément que l'abord de cette *forte* femme soit difficile. Nul angekkok n'obtient cette rarissime faveur sans l'intercession de son Tornguk.

Le voyage aussi est long et pénible.

D'abord, on passe par le pays des âmes des défunts, qui ont, dit la chronique, bien meilleure mine que dans ce bas-monde et ne manquent de rien. Heureuse contrée! De là,—je suppose que vous ayez l'avantage d'être angekkok-poglit,— vous arrivez à un affreux tourbillon d'eau qu'il faut franchir, sur une grande roue de glace tournant avec une vélocité vertigineuse. Cette roue et ce tourbillon n'ont rien de très-rassurant. Mais n'ayez peur; avec l'aide de votre inséparable Tornguk, vous passerez, sans vous mouiller même la cheville du pied. Après cet exploit, on aperçoit une grande chaudière où mijotent des phoques,—destinés sans doute à la bouche auguste de Torngarsuk et de damoiselle son épouse. Après, c'est la niche du cerbère, dont nous avons parlé plus haut; après, la chambre de Leorugolu. Elle vous fait un accueil détestable, s'arrache les cheveux, saisit une aile d'oiseau tout humide, la fait flamber et vous la promène sous le nez.

Il est dans le cérémonial alors d'avoir une syncope, provoquée peut-être, mais bien justifiée, du reste, par la puanteur de l'épreuve. Leorugolu profite de la pâmoison de son visiteur pour le faire prisonnier. Décidément, elle a une étrange façon d'interpréter les lois de l'hospitalité.

Par bonheur le Tornguk est là, à son poste, toujours fidèle, toujours prêt à tirer son protégé d'un mauvais pas. Empoignant, sans le moindre respect, la femme de Torngarsuk par les cheveux, il la roue de coups, la bat comme plâtre, jusqu'à ce qu'elle tombe épuisée. Ce n'est peut-être pas d'une délicatesse achevée, mais entre divinités! Enfin, Leorugolu a cédé à corps défendant. Les deux compères lui dérobent son *aglerutit,*—objet féminin que l'on ne nomme pas dans notre langue, en pudique compagnie,—avec lequel elle attire dans son domaine tous les poissons et habitants des eaux, et qui, de plus, jouit de l'inestimable propriété de donner à son possesseur les meilleurs conseils pour se diriger dans la vie et le moyen d'imposer ses volontés. Précieux talisman! que vous en semble? Une fois privée dudit aglerutit, tous les animaux marins abandonnent en bande Leorugolu, qui les avait transportés, les ingrats! de la froide mer en son beau paradis, et retournent à leurs baies accoutumées, où les groënlandais les prennent et les croquent à bouche que veux-tu.

Leur glorieuse prouesse accomplie, l'angekkok-poglit et son Tornguk rentrent joyeux et fiers chez eux, par la route la plus douce et la plus agréable qui se puisse imaginer.[5]

[Note 5: Pour qu'on ne nous accuse pas d'avoir forgé cette fable à plaisir, nous renvoyons aux nombreuses descriptions du Groënland, et entre autres à celle de Hans Egède.]

Il y a des esprits sceptiques qui douteront que l'angekkok-poglit Pumè eût pu exécuter cette brillante expédition et en revenir en trois minutes; mais les Esquimaux sont des simples de coeur. Ils ajoutèrent une foi absolue aux paroles de Pumè, qui avait ramené à foison la gent poissonnière dans les pêcheries, sans même demander à voir le magique aglerutit; bonnes gens! aussi ne connaissent-ils ni enfer, ni purgatoire après cette vie!

—L'angekkok-poglit épousera Toutou-Mak, se mirent-ils à crier sur tous les tons de la gamme.

Ensuite, chacun courut chez soi pour y quérir son meilleur morceau de phoque, baleine ou caribou, afin de contribuer au festin nuptial.

La viande, la graisse, le poisson, l'huile arrivèrent profusément chez Pumè.

Les lampes furent rallumées, non pour éclairer la loge, car, dans ces contrées, la nuit est presque aussi claire que le jour, mais pour cuire les aliments.

Le repas fut bientôt servi. Il était splendide et se composait, indépendamment des mets habituels, de racines, appelées *tugloronit,* bouillies dans le spermaceti de baleine, salades faites avec de la bouse de renne tirée des intestins; entrailles de perdrix, gâteaux, confectionnés avec des raclures de peaux de veau marin; estomacs de caribous, tués avant qu'ils aient digéré leur pâture[6]; le plat par excellence: un couple de foetus de daim, rôtis, aussitôt après avoir été arrachés du ventre de la mère, et enfin un dessert de mûres de ronces nageant dans l'huile de baleine, comme dernier service[7]; le tout arrosé d'eau à la glace, car les Esquimaux-Groënlandais ne boivent pas l'huile, comme on le croit trop généralement.

[Note 6: Les sauvages du Mississipi, et en général, la plupart des Indiens de l'Amérique Septentrionale ont un goût très-vif pour ce genre de mets.—Voir, entre autres, le voyage du prince Maximilien de Wied Neuwied dans l'Amérique du Nord,—Je renverrai également aux Chippiouais, sixième volume des BRAMES DE L'AMÉRIQUE DU NORD.]

[Note 7: «Ce ventre de renne et la fiente de perdrix, préparés dans l'huile fraîche de baleine, sont pour ce peuple ce que sont parmi nous la bécasse et le coq de bruyère,» dit avec raison M. L.-E. Haton, dans son *Histoire pittoresque des voyages*.]

Il y avait de quoi faire fête complète.

Quand le banquet fut près de sa fin, deux illirsut, dépêchées par Pumè, se rendirent à la loge de Triuniak et enjoignirent à Toutou-Mak de les suivre.

Elle refusa, moins pour se conformer à la coutume du pays que poussée par son insurmontable aversion pour l'angekkok-poglit. Sans faire attention à ses refus, les deux sorcières se jetèrent sur elle, afin de la soumettre à leur désir.

Témoin de cette violence, Guillaume Dubreuil voulut la faire cesser, quoiqu'il connût bien l'usage groënlandais de procéder ainsi au mariage.

—Que mon frère demeure tranquille, dit Triuniak en le retenant.

—Mais ta fille déteste ce vieillard!

—La volonté de l'angekkok-poglit est la volonté de Torngarsuk, répondit tristement Triuniak, qui n'approuvait pas cette union, mais l'acceptait avec le stoïcisme indien, parce qu'il n'estimait pas qu'il y eût au monde une puissance capable de l'empêcher.

Les illirsut emportèrent la Biche-Agile, hurlant de douleur, se tordant en convulsions et faisant des efforts inouïs pour leur échapper.

Malgré sa résistance, ses cris, ses morsures, elles la déposèrent dans la cabane de Pumè, alors débarrassée de ses convives.

L'horrible petit vieux sourit d'un sourire diabolique à l'arrivée de la victime.

—Qu'on la mette là, dit-il en indiquant un lit aux sorcières, qui se retirèrent aussitôt.

Puis, bouillant de satisfaction et de luxure, il se précipita sur la jeune fille.

Chez les Esquimaux la décence exige qu'une nouvelle mariée ne se rende à son époux que contrainte par la force physique. Toutou-Mak usa largement du privilège pour repousser et frapper l'odieux angekkok. Il en résulta une lutte furieuse des deux côtés,—ignoble de l'un, pitoyable de l'autre,—sur laquelle je demande la permission de tirer le rideau.

Tout à coup, Pumè, qui était debout sur le lit, où il s'épuisait à étreindre la jeune fille, tomba lourdement à la renverse, en lâchant une exclamation de douleur.

Sa tête avait porté contre un des poteaux de la hutte, et il s'était fracassé le crâne.

V

KOUGIB

La nouvelle de la mort de Pumè se répandit de proche en proche jusqu'à la cabane de Triuniak. Elle y arriva grossie de force commentaires. Les mauvaises langues,—où n'y en a-t-il pas?—insinuaient que Toutou-Mak avait fait périr son mari, au moyen de sortilèges dont Innuit-Ili lui avait communiqué le secret. Le cas était grave. Les parents de l'angekkok pouvaient exiger une réparation sanglante. Triuniak, père de la Biche-Agile, courut à la loge du jongleur pour prendre des informations sur ce grave événement.

Dubreuil avait voulu l'accompagner, dans l'espérance de voir Toutou-Mak, mais il s'y était opposé, craignant avec raison que les Uski, irrités par les bruits qui circulaient sur la mort subite de leur angekkok-poglit, ne se livrassent à des violences contre l'étranger.

L'accident avait heureusement eu des témoins, deux premières femmes de Pumè, qui s'empressèrent de proclamer l'innocence de Toutou-Mak.

Triuniak revint à sa cabane doublement satisfait, car sa fille était dégagée d'une alliance à laquelle il s'était soumis contre son gré et il caressait, dans son esprit, l'idée de la marier, après son deuil, à Innuit-Ili, que depuis longtemps il souhaitait d'avoir pour gendre.

Celui-ci ne se possédait pas de joie. Sa nature mobile, ardente, s'était enflammée comme la poudre à l'étincelle jetée sur ses sentiments par la déclaration de Toutou-Mak. Et, plus d'une fois, tandis que les illirsut enlevaient la jeune fille, il tenta de s'échapper de la hutte de son hôte, sans but bien défini peut-être, mais en proie à une fièvre de colore qui aurait pu le pousser au crime.

Sa nuit, cependant, fut bercée par des rêves charmants.

Le lendemain, il suivit Triuniak aux funérailles de Pumè.

Tous les membres de la tribu, réunis autour de la cabane de l'angekkok-poglit, dans leurs vêtements les plus sales, faisaient entendre des cris lugubres, s'arrachaient; les cheveux et déchiraient leurs habits, en signe de douleur. Cette scène, moins attendrissante que grotesque, dura environ une heure.

Alors, par une fenêtre de la hutte, sortit un parent de Pumè, portant sur son dos le cadavre du jongleur, enveloppé et cousu dans sa plus belle pelisse.

Il fut suivi de l'une des veuves du défunt, si hermétiquement encapuchonnée qu'on ne pouvait distinguer ses traits. Mais par sa taille et sa démarche, Dubreuil jugea que ce n'était point la fille de Triuniak.

Cette femme tenait à la main un morceau de bois allumé. Elle fit le tour de la loge, en disant:

—Piklesrukpok (il n'y a plus rien à faire ici pour toi)!

Ensuite, les assistants recommencèrent leurs gémissements et se mirent en marche derrière le corps.

Au bout d'un quart d'heure, le cortège arriva dans un petit vallon jonché de tertres et d'amas de pierres. C'était le cimetière des Groënlandais. Une fosse de deux pieds de profondeur et de vingt de longueur était creusée dans le sol à peine dégelé à la surface, éternellement glacé au-dessous. Le cadavre y fut descendu et posé sur une couche de mousse, les jambes ployées sous le dos. A ses côtés on plaça, son canot, ses flèches, ses ustensiles et ses instruments de pêche et de chasse: non parce que les Uskimé croient que le trépassé aura besoin de tout cela dans le pays des âmes, mais afin que la vue des objets dont il se servait ne renouvelle plus leur chagrin, car ils disent que, s'ils pleuraient trop un mort, celui-ci pâtirait cruellement du froid dans le Ciel.

Cette cérémonie terminée, l'angekkok qui se proposait de succéder à Pumè dans son office, prit la parole, en dansant autour de la tombe et en frappant, avec un bâton, sur un tambourin fait; d'une côte de baleine tournée en cerceau, et recouverte d'une peau amincie.

—L'ami chéri de Torngarsuk s'en est allé, dit-il, sur le territoire des âmes, où il jouit d'un grand bonheur, j'en ai eu la révélation. Le soleil brille sans cesse d'un pur éclat dans le pays qu'il habite. Les rennes, les poissons de toutes sortes, les phoques et les morses abondent. La chasse et la pêche y sont faciles et agréables. Jamais les aliments ne manquent. Des chaudières, toujours bouillantes et toutes remplies de chair et de viande, sont constamment à la disposition de ceux qui ont faim, et les femmes les plus belles y préparent la couche de ceux qui veulent dormir.

»C'est dans cette délicieuse contrée qu'a été transporté Pumè; c'est là qu'iront aussi les Uski qui se montreront laborieux, adroits, dociles et surtout obéissants aux ordres des angekkut, ministres de Torngarsuk!»

Ayant dit, le jongleur donna, par un hurlement, le signal d'une nouvelle explosion de sanglots.

Le corps fut ensuite couvert d'une peau, avec un peu de gazon, sur lequel on entassa de grosses pierres, pour le préserver des oiseaux de proie et de bêtes fauves.

L'inhumation étant finie, les Uskimé reprirent le chemin de la loge du défunt, où les attendait le banquet des funérailles.

En entrant, les veuves de l'angekkok-poglit, voilées de leur capuce, les accueillirent par ces mots:

—Pumè que vous cherchez n'y est plus, hélas! il est allé trop loin!

Dans celle qui prononça à son oreille la formule de rigueur, Dubreuil crut reconnaître Toutou-Mak.

Il étendit le bras pour lui prendre la main; mais soit qu'il se fût trompé, soit que la jeune femme craignît de manquer à son devoir, les avances du capitaine restèrent sans réponse.

Tous les effets ayant appartenu à Pumè avaient été enlevés de la hutte comme impurs et déposés sur une pelouse voisine. Pour le repas, les convives se servirent de plats de bois et de chaudières de pierre ou d'argile empruntés ça et là. Cependant, comme on allait se mettre à table, c'est-à-dire s'accroupir à terre, Dubreuil remarqua, pendu au mur, un couteau de fabrique européenne, et qui était apparemment resté inaperçu dans le déménagement.

Après l'avoir examiné de près, il ne douta pas que ce ne fût son couteau perdu ou dérobé depuis quelque temps.

Sans plus de réflexion, il le décrocha, déclara que c'était sa propriété et le mit dans sa poche.

Cet acte souleva un moment d'horreur. Tous les assistants s'éloignèrent aussitôt de lui, comme d'un pestiféré.

Et l'angekkok, qui avait présidé aux obsèques, se levant, dit d'un ton prophétique:

—Innuit-Ili, tu as touché à un instrument souillé; va te purifier, ou tu mourras avant que douze lunes soient écoulées.

Pour ne pas froisser les sauvages par une violation publique de leurs coutumes, Dubreuil sortit de la cabane, mais non, on le pense bien, avec l'intention d'aller se déshabiller et se rouler nu sur les glaçons, considérés par les Groënlandais comme eau lustrale.

Il se posta derrière la hutte, et tâcha de voir, par quelque crevasse du mur, ce que faisait Toutou-Mak à l'intérieur.

Les désirs du jeune homme furent exaucés, car il découvrit la Biche-Agile près du lit d'une des veuves de feu Pumè. Cette femme venait d'accoucher. Près d'elle on découvrait encore certain vase qu'on a coutume de poser sur la tête des Esquimaues en mal d'enfant, pour faciliter leur délivrance.

La jeune mère saisit et coupa avec ses dents l'ombilic; puis elle plongea ses doigts dans un pot d'eau, que lui présenta Toutou-Mak, et les frotta sur les lèvres du marmot, en disant:

—*Imekautet* (tu as bu beaucoup).

Après cela, on lui offrit du poisson à manger. Elle le prit, y goûta, en barbouilla la bouche de son nourrisson, et lui secouant légèrement la main:

—*Aiparpotet* (tu as mangé en ma compagnie), prononça-t-elle.

Au bout de peu d'instants, elle se leva, s'habilla et vaqua à ses travaux, comme si rien d'insolite ne lui fût arrivé.

Dubreuil ne s'occupait plus d'elle, car Toutou-Mak avait passé dans une autre partie de la pièce. Bientôt, elle s'avança, capuchonnée de nouveau, vers la porte de la loge qu'elle quitta seule.

Guillaume sentit son coeur bondir de joie. Le soleil était couché depuis quelques instants. Il n'y avait personne aux environs. Le capitaine courut à la rencontre de Toutou-Mak.

D'un mot, elle l'arrêta et glaça son enthousiasme.

—As-tu fait la purification, mon frère?

Dubreuil ne voulut pas mentir.

—Pas encore; mais à quoi bon ces cérémonies vaines autant que ridicules? répondit-il en faisant un pas vers elle.

—Non, non, dit la jeune fille épouvantée, retire-toi, mon frère, si tu m'aimes, retire-toi, et garde-toi d'approcher créature humaine vivante avant d'avoir accompli le rite obligé!

—Où va ma soeur? dit-il pour changer la conversation.

—Toutou-Mak, repartit l'Indienne, va chercher ses ustensiles.

Et elle indiqua le mobilier du défunt.

—Qu'en veut-elle faire?

—Le rapporter dans la loge de l'angekkok-poglit, où il ne saurait nuire maintenant que l'odeur du mort est dissipée.

—Ma soeur souhaite-t-elle que je l'aide?

—Oh! non; Innuit-Ili, va te purifier, je t'en conjure.

—Je voudrais causer avec toi, Toutou-Mak, ma bien-aimée, dit Guillaume avec une chaleur communicative.

—Eh! s'écria-t-elle, la fille de Triuniak a le coeur gros aussi de ce désir...

—Eh bien! ce soir...

Elle secoua la tête avec mélancolie.

—Pourquoi pas ce soir?

—Innuit-Ili, cela est défendu.

—Défendu!

—Oui. Toutou-Mak ne doit point quitter avant trois lunes la loge de celui qui l'avait épousée. En parlant à un homme autre que son père, pendant son deuil, elle s'expose...

—Elle ne s'expose à rien. Tes jongleurs sont des misérables!

Et, du pied, le capitaine frappa le sol avec impatience.

—Elle s'expose au courroux de Torngarsuk, continua gravement la Groënlandaise.

—Ah! je me moque de ce...

—Mon frère! mon frère, va te purifier!

—Plus tard. Un mot encore.

—Je n'écoute plus.

—Un seul mot, un seul, ma belle, ma bonne Toutou-Mak? supplia Dubreuil.

—On vient, voici quelqu'un. Va te purifier, Innuit-Ili!

Et la Biche-Agile, qui avait ramassé à la hâte quelques pelleteries et ustensiles étendus sur le gazon, rentra brusquement dans la loge.

Le capitaine était dépité,—dépité contre le fanatisme de la jeune femme, dépité contre l'inconcevable timidité dont il avait fait preuve en cette circonstance.

—Lui avoir obéi comme un enfant! murmurait-il. Être resté là, immobile, à cinq pas d'elle, parce qu'elle me l'avait ordonné, au lieu de l'enlacer dans mes bras...

Par Notre-Dame de Bon-Secours, suis-je un fou, un imbécile, un idiot, ou le capitaine Guillaume Dubreuil?... Est-ce que par hasard...

Une flèche sifflant à son oreille interrompit ce monologue.

Guillaume, qui, à ce moment, avait, par bonheur, fait un mouvement, se retourna et vit un homme fondant sur lui.

Cet individu brandissait une massue. Le capitaine n'avait pas d'arme. Pour lutter contre l'agresseur, il fallait recourir à toute son adresse. Avec la rapidité de l'éclair, le Français se fit cette réflexion, et, au lieu d'attendre son adversaire, se jeta, tête basse, dans ses jambes.

L'Uskimé ne prévoyait pas cette attaque, aussi soudainement exécutée que conçue. Il chancela et tomba tout de son long, en laissant échapper son casse-tête.

Guillaume le ramassa en un clin d'oeil, se précipita sur l'assaillant, et le menaçant du tomahawk:

—Pourquoi voulais-tu m'assassiner?

Le sauvage ne répondit point.

—Si tu ne parles, je t'assomme, reprit Dubreuil.

Même silence.

—Pour la dernière fois, je te préviens!

L'Uskimé poussa un sifflement aigu.

Aussitôt les gens rassemblés dans la loge de Pumè sortirent en désordre.

Dubreuil lâcha alors le sauvage, en disant:

—Ce misérable a voulu m'égorger!...

Les Esquimaux se mirent à ricaner, et l'antagoniste du capitaine s'esquiva.

—T'es-tu purifié, mon fils? lui demanda Triuniak.

—Oui, répondit-il, aussi irrité par cette question importune que par l'attentat dont il venait d'être l'objet.

—C'est bon; alors suis-moi.

—On allons-nous?

—Au logis. Mais laisse cette massue.

—C'est celle du vil meurtrier...

—Justement, mon fils; elle est impure.

—Encore!

Et le capitaine, malgré son exaspération, ne put s'empêcher de rire.

—Oui, elle est impure, repartit tranquillement Triuniak, car c'est la hache de Kougib.

—Kougib, le parent de Pumè?

—Lui. Et sa hache est impure comme toute sa personne, parce qu'il a ce matin porté un cadavre humain sur ses épaules.

—Je croyais cependant être son ami? fit Dubreuil en manière de réflexion.

—Si tu étais le sien, il n'est plus le tien, mon fils.

—Quel mal lui ai-je fait?

—Ah! il t'accuse d'avoir comploté avec Toutou-Mak la mort de Pumè.

—La mort de Pumè! nous! Tu m'avais pourtant dit que cette absurde calomnie était retombée sur ceux qui s'en étaient faits les fauteurs.

—Tu as des ennemis, mon fils, qui n'en a pas? dit sentencieusement Triuniak.

Puis il ajouta d'un ton méditatif:

—Ceux-là t'accusent encore. La preuve, Kougib te l'a donnée. Il veut sans doute venger l'angekkok-poglit, comme son plus proche parent. Il faut, mon fils, te mettre à l'abri de ses coups. Demain, nous partirons pour la chasse.

—Penses-tu, Triuniak, que je fuirai devant une inculpation aussi lâche que celui qui l'a faite? répondit fièrement le capitaine.

—Quand s'abat l'orage, il vaut mieux l'éviter, si on le peut, que de l'affronter. Innuit-Ili, demain, nous irons chasser le phoque.

—Mais Toutou-Mak? interrogea Dubreuil.

—Toutou-Mak n'a rien à craindre tant que durera son deuil, car elle est sous la protection de Leorugolu.

Tout en causant, ils étaient revenus à leur hutte.

Guillaume se coucha, assez mal impressionné par les événements de la journée.

Depuis quatre mois qu'il vivait au milieu des Esquimaux, l'idée de retourner dans son paya natal lui avait souvent fatigué l'esprit. Mais le moyen? Suivant toute probabilité, le malheureux jeune homme était condamné à végéter désormais et à rendre le dernier soupir dans ces glaciales contrées, véritable tombeau pour un Européen, parmi des sauvages d'une bienveillance équivoque, d'une brutalité très-franche, menant à l'excès, et toujours prêts à rendre l'étranger responsable de leurs mécomptes.

Dubreuil dormit peu. L'avenir lui apparut sous de noires couleurs. La pensée de Toutou-Mak, la certitude d'être aimé de cet être charmant, de la posséder bientôt tout entière, ne put même lui procurer un songe agréable.

A la pointe du jour, il se leva pour aider Triuniak à préparer ses kaiaks.

Le *kaiak* est le canot ordinaire des Esquimaux mâles; les femmes ont aussi le leur, appelé *ommiah.* L'un et l'autre sont faits de peaux d'animaux marins tendues sur des côtes de bois ou de baleine, comme les anciens *vitilia navigia* des Bretons. Je ne saurais mieux, comparer le kaiak qu'à une navette de tisserand, mais à une navette longue de dix à douze pieds, large de deux et demi à trois. Légère comme une écorce de liège, et glissant sur l'eau comme un patin sur la glace, cette embarcation est toute couverte, à l'exception d'un trou rond au milieu. L'Uskimé s'assied dedans par cette ouverture, les pieds tendus vers l'un ou l'autre bout. Avec le bas de sa camisole, sanglée au rebord du trou, de manière que l'eau n'y peut pénétrer, avec ses manches étroitement serrées au poignet, sa jaquette autour du col, embéguiné dans sa coiffe, il s'identifie tout entier avec la machine. «Ce n'est plus un batelier ordinaire, ce n'est plus le pêcheur dans sa barque, c'est l'homme avec des nageoires, l'homme devenu poisson.»

La casaque de mer du Groënlandais,—celle dont il se sert pour la pêche à la baleine,—complète d'ailleurs la transformation. C'est une espèce de chemise où l'habit, les culottes, les chaussures, ne constituent qu'une seule pièce. Elle est en peau de phoque cousue à points si serrés que l'eau n'y peut pénétrer. Sur la poitrine on remarque un petit tube en os, par lequel on fait pénétrer, en soufflant, autant d'air qu'il est jugé à propos pour que l'homme se soutienne sans aller au fond. Ce trou est ensuite bouché avec une cheville. A mesure que la quantité d'air est augmentée ou diminuée à l'intérieur du vêtement, l'on peut descendre ou remonter à volonté. Vêtu de ce scaphandre, l'Esquimau devient ainsi un vrai ballon qui court impunément sur l'eau sans y enfoncer.

Que la tempête gronde, il la brave! Que la mer furieuse renverse le frêle canot, il reviendra à la surface d'un seul coup de son aviron, plat aux deux bouts comme une spatule, qu'il tient par le milieu, et avec lequel il exécute dextrement les évolutions les plus rapides, les mouvements les plus étranges.

Dubreuil avait déjà appris à manoeuvrer un kaiak. Grâce à son adresse naturelle, il était devenu à cet exercice aussi habile qu'un Esquimau.

Triuniak et lui, munis de javelots et de harpons, mirent chacun un canot sur leurs têtes et s'acheminèrent vers l'Océan.

Le temps était lourd, brumeux. On touchait au mois d'octobre, le froid se faisait déjà sentir avec vivacité, et, pour une journée sereine, on en avait trois ou quatre que les brouillards, la gelée et la neige rendaient insupportables.

En arrivant à la côte, ils se débarrassèrent de leur kaiaks et cherchèrent une baie abordable pour les lancer à l'eau.

Tandis qu'ils rôdaient sur les hautes banquises, Triuniak aperçut, au fond d'un fiord, un pin de forte dimension que les vagues roulaient sur la grève.

Grande fut la joie de l'Esquimau, car il n'y avait pas d'arbres de cette taille au Groënland, lequel ne produit, on le sait, que des arbustes rabougris.

Tout le bois de consommation est ainsi apporté de lointaines contrées aux habitants par les tempêtes.

—Mon fils, dit Triuniak à Dubreuil, attends-moi ici. A nous deux, nous ne serions pas assez robustes pour traîner cet arbre au village, je vais y courir et je ramènerai nos chiens. Pendant mon absence, tu iras à la crique de l'ours, nous en sommes tout près. Je suis sûr que tu y trouveras les *pusi*[8].

[Note 8: Phoque, veau marin.]

—Ne t'inquiète pas, mon père, j'en aurai une provision à ton retour, cria le capitaine à l'Uskimé, qui rebroussait chemin à grands pas.

Après avoir lutté longtemps avec des chances diverses de victoire ou de défaite, le soleil perçait enfin le voile de brume qui le cachait dans la matinée.

L'éblouissement causé par sa réfraction sur l'immense plaine de glace qui entourait Dubreuil, le fit songer à ajuster ses yeux à neige, sortes de besicles faites avec un morceau d'ivoire, dont les Esquimaux se servent pour tempérer la lumière intense réfléchie par leurs blanches campagnes, et se préserver ainsi de cette horrible affection que les Canadiens Français appellent *aveuglement de neige.*

L'ivoire ou le bois employé à leur confection est évidé intérieurement, pour recevoir le revers du nez et la partie saillante du globe des yeux. Vis-à-vis de chaque oeil s'étend une fente transversale, très-étroite, longue d'environ un pouce et demi. En dehors, l'instrument est évasé sur les deux côtés, à angle oblique, en haut se trouve un petit rebord horizontal, qui se projette d'environ un pouce.

On assujettit ces lunettes par derrière, avec une lanière de peau de veau marin: les Uskimé en font encore usage, comme nous du télescope, pour voir à de grandes distances.

Aide de cet appareil, Dubreuil distingua, à un mille de lui, une troupe de phoques qui s'ébattaient gaiement à la tiède chaleur de l'astre diurne.

Le capitaine replaça son canot sur sa tête et se glissa, avec précaution, vers la crique à l'Ours, lieu où étaient rassemblés les veaux marins.

Quand il n'en fut plus éloigné que d'une centaine de pas, il descendit la côte, mit son kaiak à flot et nagea avec une vitesse incroyable, mais sans faire le plus léger bruit.

Il allait dans un tel silence qu'il passa inobservé par une troupe de lourds cormorans, occupés à pêcher dans une anse.

Arrivé à la hauteur de la crique, Dubreuil donna deux vigoureux coups de pagaie pour en doubler la pointe, saisit un *reineinek* ou grand harpon auquel était fixée une longue ligne, et darda la pointe de l'arme dans le flanc d'un gros phoque qui venait de s'éveiller, au bruyant désordre de ses compagnons, frappés de panique par l'apparition du kaiak bien connu.[9]

[Note 9: Les pêcheurs, eu plutôt chasseurs de phoques, savent que cet amphibie est doué d'une certaine intelligence, et que, quand un troupeau a été chassé quelquefois par le même homme, il reconnaît cet homme et s'en défie plus que des autres chasseurs.]

Percé d'outre en outre, l'animal ne s'en roula pas moins dans l'eau et plongea.

Dubreuil laissa filer la ligne, attachée par l'autre extrémité à une peau de veau marin remplie d'air, destinée à servir de bouée pour suivre les traces du blessé.

Le phoque fuyant vers la haute mer, Guillaume lança son kaiak hors de la crique, pour lui donner la chasse, mais, en débouquant, une pierre décochée avec force l'atteignit au visage, il perdit l'équilibre et capota.

VI

DISPARITION

Dans la matinée de ce jour-là, en allant puiser de l'eau à la source commune, Toutou-Mak remarqua que Kougib et le futur angekkok-poglit passaient et repassaient fréquemment devant la cabane de son père. Ils la regardaient avec un air et des gestes qui inspirèrent des soupçons à la jeune fille. Évidemment, ils tramaient quelque perfidie. Toutou-Mak les suivit en cachette.

Les deux hommes prirent la route d'un petit bois de cormiers, distant de cinq ou six portées de flèche du village uskimè. Le chemin qui y conduisait était encaissé entre des rochers et tortueux. Bien de plus facile que de s'y glisser sans être aperçu. La jeune fille marcha sur leurs pas.

Arrivés dans le bois, ils s'arrêtèrent.

Toutou-Mak se coula derrière un buisson et écouta.

—Oui, disait Kougib, ils ont assassiné Pumè. J'en suis sûr. Comment expliquer autrement sa mort?

—Tu as bien raison, mon frère, répondit l'angekkok.

—Aussi, je vengerai la mort de Pumè.

—Torngarsuk l'ordonne. Ton empressement à devancer ses désirs lui sera agréable.

—Ah! si je n'avais pas manqué mon coup, hier! Il faut que ce blanc ait un charme pour détourner les traits.

—Sans doute, il connaît des choses que tu ne connais pas. Mais celui que dirige la main toute-puissante de Torngarsuk saura bien triompher de son ennemi. J'approuve ton dessein.

—Depuis longtemps on aurait dû en purger le pays.

—C'était aussi l'avis de Pumè.

—Ah! je le sais bien, répliqua Kougib. Sans Triuniak qui le protège, pour Le malheur de la tribu, il n'aurait pas fait long séjour parmi nous.

—On dit qu'il aime sa fille, fit l'angekkok insidieusement.

—Crois-tu, mon frère? demanda l'autre avec une expression haineuse.

—Et qu'elle l'aime aussi, ajouta le jongleur d'un ton négligent, mais qui cachait l'intention d'irriter son compagnon.

En effet, celui-ci avait été un des prétendants à la main de Toutou-Mak, et l'angekkok le savait fort bien.

—Tu dis qu'elle l'aime! s'écria. Kougib en fronçant les sourcils.

—Cela doit être. Pumè me l'a dit. Et, d'ailleurs, ne les a-t-on pas vus souvent ensemble? Qu'est-ce qu'ils allaient faire seuls, tantôt d'un côté, tantôt de l'autre, dis? On en a assez causé, dans la tribu.

Chaque parole du sorcier tombait comme une goutte d'huile bouillante sur le coeur de Kougib.

Il poussa un rugissement sourd et brisa dans ses mains un os de baleine qui lui servait de bâton.

—Et puis, ajouta l'angekkok, n'est-ce pas à ce misérable amour qu'il faut attribuer le meurtre de Pumè?

—Tu dis juste, trop juste, mon frère!

—Oh! continua le premier, enfonçant à plaisir le poignard dans la blessure, Toutou-Mak n'attendra pas la fin de son deuil pour épouser Innuit-Ili.

—Ne prononce plus son nom! il m'exaspère!

—Triuniak est décidé à la lui donner en mariage.

—Jamais! exclama Kougib.

—Si tu veux, certainement.

—Je le tuerai! fut-il répondu d'une voix rauque.

—Tous les angekkut te loueront de cet acte nécessaire, car Innuit-Ili est leur ennemi juré. Seulement, frappe bien et fort. Voici un *oriosi*[10] qui doublera la précision de ton oeil, la vigueur de ton bras.

[Note 10: Sorte de talisman.]

—Je remercie mon frère de sa bonté pour moi, dit Kougib en recevant du jongleur un sachet en peau, qu'il fourra dans sa botte.

—Tu dois te presser, dit le sorcier.

—Si je savais où il est, j'irais immédiatement.

—Torngarsuk m'a révélé qu'il était parti, ce matin, avec Triuniak, pour chasser.

—Où? dis-le moi.

—A la crique à l'Ours.

—Il y est avec Triuniak, fit Kougib en réfléchissant

—Est-ce que déjà mon frère aurait peur?

—Non, non, je n'ai pas peur. Mais ce Triuniak le défendra.

—Tant mieux!

Kougib fixa sur l'angekkok un regard inquisiteur.

—Mon frère a dit tant mieux; je ne comprends pas. Mon frère prétendrait-il me tromper?

—Les ministres de Torngarsuk ne trompent point, répondit sévèrement l'angekkok. Triuniak chasse avec Innuit-Ili. J'ai dit: tant mieux! parce que je pensais que Kougib avait la vue longue.

—Kougib n'a pas la vue longue, dit l'Esquimau en branlant la tête. Que mon frère ouvre donc encore son coeur.

L'angekkok jeta autour d'eux un regard rapide, et, croyant qu'ils étaient seuls, il reprit à voix basse, tandis que Toutou-Mak redoublait d'attention:

—Si Kougib attaque Innuit-Ili, Triuniak courra au secours de son ami, et Kougib les tuera tous les deux.

La Biche-Agile arrêta sur ses lèvres un cri d'horreur.

—Kougib comprend-il? poursuivit le jongleur.

—Pourquoi tuer aussi Triuniak?

—O l'aveugle! le sourd! proféra l'angekkok en levant les épaules. Mais tu ne vois donc pas que Triuniak mort, sa fille est à toi?

Kougib bondit d'admiration.

—Mon frère est grand, dit-il. Son oeil distingue dans le ciel, son oreille entend du fond de la terre.

—Va donc! et fie-toi toujours au serviteur de Torngarsuk! fit superbement le sorcier, dont la vanité avait été flattée par cet éloge naïf.

—Je pars tout de suite, mon frère.

—As-tu des armes?

—J'ai ma fronde et mon couteau. Mon arc a déçu mon attente. Je l'ai brisé.

—Songe que Torngarsuk veille sur toi!

L'angekkok, après ces mots, quitta son complice, qui prit aussitôt la direction de la crique à l'Ours.

Toutou-Mak sortit de son nid, dès qu'ils eurent disparu. Que d'agitation, que de trouble dans sa jeune âme! Son père et celui qu'elle aimait exposés à une mort qu'elle ne pouvait prévenir que par un acte condamné d'une manière absolue par les règles religieuses de son pays. Car les Esquimaux s'imaginent qu'une veuve qui, à partir du lendemain du décès de son mari, entre, durant les trois premiers mois de son deuil, en communication quelconque avec un homme, est destinée à périr dans le courant de l'année, ainsi que celui ou ceux à qui elle a parlé.

Si courte que fût la lutte des terreurs superstitieuses de la jeune femme avec ses tendresses, elle fut affreuse, de celles qui laissent sur le coeur des cicatrices indélébiles.

L'amour l'emporta.

Toutou-Mak s'élança sur la trace de Kougib. Puis craignant d'être surprise, elle prit une autre piste, qui devait la mener également à la crique à l'Ours.

Elle volait plutôt qu'elle ne courait sur la glace et sur la neige. Il fallait devancer l'assassin. Par malheur, dans son trouble, l'Indienne s'égara un peu. Elle perdit un temps précieux, et, quand elle atteignit le sommet d'un cap qui d'un côté dominait la crique, elle découvrit Kougib faisant déjà tourner une fronde autour de sa tête.

A cette vue, Toutou-Mak voulut crier, avertir son amant, dont elle n'était plus éloignée que de quelques pas. Ses organes refusèrent de la servir.

Elle s'affaissa, hors d'haleine, derrière un amas de congélations.

Ni Kougib, ni Dubreuil ne l'avait aperçue.

Après avoir lance sa pierre, constaté qu'elle avait frappé le but, et que le kaiak chaviré ne se redressait pas, le meurtrier détala au plus vite. Quoique blessé légèrement, Guillaume risquait de se noyer, car, étourdi par le coup, il ne faisait aucun effort pour remonter à la surface de l'eau.

Mais la faiblesse de Toutou-Mak ne fut que passagère.

Elle se relève, franchit la courte distance qui la sépare de la crique, se jette à la nage, et remorque le kaiak à la rive.

Peindre ses émotions dans ce moment serait impossible. Innuit-Ili vivait-il encore? avait-il succombé?

Aussitôt qu'elle a pu prendre pied, la Groënlandaise plonge sous le canot; elle le retient d'une main, et de l'autre défait le noeud qui lie la jaquette du batelier à la couverture de l'embarcation. Saisissant alors l'homme par les cheveux, elle l'arrache du kaiak et le traîne sur la grève.

Dubreuil n'était qu'évanoui. Il revint bien vite à lui, et grande fut sa surprise en voyant Toutou-Mak agenouillée, penchée sur son visage, qu'elle séchait sous ses baisers.

—Est-ce un rêve? Ah! puisse-t-il se prolonger! durer toujours! murmura-t-il.

Mais elle:

—Il est sauvé! il est sauvé!

Puis, elle s'éloigne vivement, et reparaît au bout de quelques minutes avec un habillement sec complet.

—Change tes vêtements mouillés contre ceux-ci, mon frère, dit-elle.

—Et toi, ma soeur?'

—Il y a dans la cache de notre père un autre accoutrement. Je vais aller le mettre. Dois-je t'aider?

—Non, je mie sens assez fort. Retire-toi, ma bonne soeur, car tu frissonnes.

Toutou-Mak retourna à une petite grotte naturelle, formée par les glaçons, dans laquelle Triuniak avait l'habitude de serrer des provisions et de chaudes fourrures pour parer aux accidents, assez nombreux, qui arrivent à la chasse des amphibies.

Sa toilette était terminée lorsque Dubreuil la rejoignit dans la grotte. Il avait à la tête une blessure large, mais nullement dangereuse.

Toutou-Mak y appliqua une espèce de charpie, faite avec l'amiante[11], afin que l'impression de l'eau froide ne l'envenimât point, et, s'asseyant près du jeune homme qui l'interroge avec les yeux plus encore qu'avec les lèvres, elle lui conte l'incident du matin.

[Note 11: «Plusieurs montagnes (du Groënland) sont remplies d'amiante, ou pierre de lin incombustible, semblable à des éclats de bois. Lorsque l'amiante est battue, amollie dans l'eau chaude, on la peigne comme de la laine. Sa qualité singulière est que le feu, lui tenant lieu de savon et de lessive, blanchit ce linge, loin de le consumer. Les Groënlandais en font des allumettes pour leurs lampes. Tant qu'elles sont imbibées d'huile, elles brûlent sans se consumer comme le coton.»—*Collection abrégée des Voyages*, par Bancarel.]

En entendant le récit de cet infâme complot, Dubreuil avait peine à modérer sa colère.

—Oh! dit-il, en la pressant avec transport dans ses bras, que ne puis-je fuir avec toi, ma bien-aimée, joie de mon âme, soleil de ma vie! Que ne puis-je t'emporter dans ma belle patrie!

—Oui, soupira la Groënlandaise, tu songes à partir, à me quitter!

—Te quitter! oh! non, je le jure! Non, jamais je ne t'abandonnerai! j'en prends à témoin tes dieux et le mien!

—Vrai, tu m'aimes ainsi? fit-elle avec une candeur charmante, en cachant sa tête dans le sein de Guillaume.

Ils étaient profondément émus l'un et l'autre. Dubreuil sentait son cerveau s'enflammer, son coeur battre à rompre sa poitrine, ses doigts frémissants se nouèrent à la taille souple de la jeune femme, dont les douces caresses l'avaient embrasé d'un feu irrésistible.

Mais elle comprit le péril de la situation, se rejeta soudain en arrière, et s'écria d'une voix vibrante, qui calma l'impétuosité du capitaine:

—Mon père! malheureux, nous oublions Triuniak!

—Triuniak! je t'ai dit, ma soeur, qu'il était allé au village chercher des chiens.

—Kougib le rencontrera!

—Je te devine, Toutou-Mak!

—Oh! cours à sa défense.

—Tu m'accompagneras.

—Non, non, cela ne se peut. J'ai enfreint la loi du Succanunga, pour toi...

—Quelle loi? que veux-tu dire?

—Rien, mon frère, rien, répliqua-t-elle en pâlissant, vole au secours de Triuniak! mais promets-moi de lui cacher l'entrevue que tu as eue avec sa fille.

—Comment?

—Je t'expliquerai cela... plus tard... Sois prompt, ô mon bien-aimé!

En renouvelant cette recommandation, Toutou-Mak chargeait sur sa tête le costume déjà glacé dont elle s'était dépouillée, et quittait la grotte par le sentier qui l'avait amenée.

Dubreuil prit l'autre piste.

A moitié route du village esquimau, il rencontra Triuniak arrivant avec un attelage de chiens aux oreilles courtes et droites, au poil rude comme celui des loups.

—Quel motif t'a donc fait abandonner la chasse, mon frère? Tu es tout essoufflé! Du sang sur ton visage!

—Ce n'est rien, une égratignure. Mon père ne s'est-il pas croisé avec Kougib?

—Non. C'est lui qui t'a mis dans cet état?

—Je le crains.

—Tu ne l'as donc pas vu Innuit-Ili? fit Triuniak avec quelque surprise.

—Je ne l'ai pas vu, mais j'ai lieu de supposer que c'est lui qui m'a lancé une pierre, tandis que je harponnais un phoque.

—Nul autre ne l'aurait osé, dit l'Uskimé d'un air rêveur.

—Enfin, je suis heureux que le scélérat n'ait pas attaqué aussi mon père.

—Pourquoi m'aurait-il attaqué?

—Je ne sais, je ne sais, balbutia le capitaine... Un pressentiment... Mais allons chercher l'arbre!

—La blessure n'est pas profonde? demanda Triuniak avec intérêt.

—Oh! non, une simple écorchure.

—Mon fils, reprit l'Esquimau avec gravité, il est nécessaire que tu t'éloignes de la tribu, pendant quelques lunes. Sans cela, ta vie courrait les plus grands risques.

—Mais où veux-tu que j'aille, père?

—Je réfléchirai. En attendant, comme voici notre arbre, aide-moi à le tirer de l'eau.

Aussitôt, ils attachèrent le pin avec des cordes de peau, et, s'attelant à ces cordes en même temps que les chiens, ils le halèrent sur la berge.

Là, Triuniak en abattit les branches avec une hache de silex, aussi tranchante que l'acier, et, après l'avoir élagué du faîte à la racine, il enfouit précieusement les rameaux sous des glaçons.

De nouveau, les mâtins furent attelés à l'arbre. Le Groënlandais les siffla d'une façon particulière, et ils partirent au galop, en traînant derrière eux l'énorme pièce de bois.

Le convoi rentra au village sur le tard. Les deux hommes n'avaient échangé que de rares paroles; l'un et l'autre étaient préoccupés par d'absorbantes réflexions.

Le jour suivant, Dubreuil, en se levant, trouva Triuniak en train de mettre en ordre son traîneau d'expédition, charpente en os de baleine, que recouvrait un léger, mais solide plancher de frêne.

—Nous allons chasser le caribou, lui dit son hôte. Fais un paquet de tes vêtements et prends toute les armes, car nous demeurerons plusieurs jours dehors.

Sur le traîneau, on chargea une tente, du poisson fumé, un pot d'huile, des effets de campement, et Triuniak donna le signal du départ.

Ce voyage précipité contrariait fort Dubreuil. Malgré l'assurance que lui avait réitérée l'Uski que Toutou-Mak n'aurait rien à redouter pendant leur absence, il se sentait le coeur lourd, oppressé, comme à la veille de quelque événement sinistre. Que deviendrait-elle? qui serait là pour la protéger, si, méprisant la loi du deuil, Kougib tentait de lui faire violence? Qui la soignerait si une maladie imprévue fondait sur elle? La quitter! la quitter sans la voir, sans lui presser la main! Cette idée seule ne suffisait-elle pas à bouleverser l'esprit du capitaine? Prier Triuniak de retarder, d'ajourner son entreprise, eût été inutile. Jamais le sauvage ne revenait sur un plan arrêté. Long à se déterminer, prudent dans ses actes, il était inébranlable quand il avait une fois pris une résolution.

Dubreuil avait bien la ressource d'une indisposition feinte. Mais outre que le mensonge prémédité lui répugnait, il tenait à prouver à son misérable agresseur qu'il avait encore manqué son coup.

C'était peut-être le meilleur moyen de l'empêcher de recommencer ses entreprises homicides, car notre Français savait parfaitement que la superstition agissait plus sur les Uskimé que la morale ou la raison. En le voyant sain et dispos, Kougib se figurerait qu'il était invulnérable.

Sous l'empire de ces considérations, le capitaine s'abstint donc de toute observation et suivit Triuniak qui se dirigeait vers l'ouest.

Le pays qu'ils parcoururent ce jour-là était montueux, semé à de longs intervalles de petits bouquets de peupliers et de saules nains, jonché de cailloux de jaspe et de marcassites jaunes comme l'or. La solitude était grande: elle effrayait par son silence mortel. A peine, parfois, un lièvre blanc déboulant d'un genévrier, ou un faucon gris traversant les airs à tire d'ailes, donnait-il une courte animation au paysage. Au reste, partout une affreuse désolation, des rocs noirs et nus, des abîmes insondables, des ravins lacérant le sol, des glaciers déchirant la nue.

Au soleil couché, les voyageurs campèrent sur le bord d'une source et allumèrent du feu avec deux morceaux de bois sec vigoureusement frottés l'un contre l'autre.

Après leur repas, Triuniak, qui s'était montré taciturne dans la journée, dit brusquement à Dubreuil:

—Innuit-Ili, ton coeur ne s'est-il pas attendri pour celui de Toutou-Mak? Réponds-moi ouvertement.

Étonné de cette question soudaine, Guillaume eut un moment d'hésitation.

—Si je me suis trompé, reprit l'Esquimau, réponds toujours, ce qui a été dit n'aura pas été dit.

—Tu me parles comme un père, Triuniak, je te parlerai comme un fils, dit le capitaine en regardant franchement son hôte à la lueur de leur lampe.

—Mes oreilles sont prêtes à t'entendre, Innuit-Ili.

—Eh bien, oui, j'aime ta fille, je la désire pour épouse.

L'Esquimau s'inclina vers lui et lui lécha le visage, marque de la plus vive affection ou considération chez les Uski.

—Ton désir sera satisfait, car, moi aussi, je t'aime, dit Triuniak; mais avant de t'engager, écoute mon discours.

—Laisse couler les paroles de ta bouche, mon père; ce sont celles d'un sage, leur son est doux comme le murmure du ruisseau, leur sens est fort et pénétrant comme la lance du narval.

—Apprends, dit gravement Triuniak, que Toutou-Mak n'est pas la fille de mon sang. C'est l'enfant d'une race dégénérée, ennemie de la nôtre, qui habite, dans une île, là-bas vers le soleil levant. Toute jeune, elle fut prise dans une guerre et je l'adoptai pour lui sauver la vie mais Toutou-Mak a été engendrée par une nation maudite, les Indiens-Rouges. J'ai dit.

—Mon père, s'écria Dubreuil, j'aime Toutou-Mak telle qu'elle est. L'épouser sera pour moi un bonheur, car elle est bonne autant que belle, et je lui dois...

Il allait ajouter «la vie.» Mais le souvenir de la défense qui lui avait était faite fit expirer le mot au bord de ses lèvres.

Heureusement Triuniak n'insiste point. Ils causèrent encore un instant, et, roulés dans des peaux de morse, ils s'endormirent d'un profond sommeil.

Le lendemain, ils continuèrent leur route sans apercevoir de gibier. Mais le troisième jour, les chiens lancèrent tout à coup un renne d'une taille superbe. Il avait au moins cinq pieds de la sole au garrot, et ses magnifiques andouillers, à large empaumure, dépassaient le sommet des plus grands arbres.

Aussitôt, les deux chasseurs se mirent à sa poursuite: à la furie muette des chiens, car dans l'Amérique du Nord ces animaux n'aboient pas, le renne répondit d'abord par un cri de défi. Leste sur ses jarrets d'aciers, il bondissait avec une merveilleuse agilité, faisait deux ou trois cents pas, puis s'arrêtait, se retournait fièrement et avait l'air de provoquer la meute. Mais, au bout d'une heure de ce manège, comme les molosses ne quittaient pas ses brisées, il se décida à prendre un grand parti.

En ce moment, la chasse parcourait les rampes d'une montagne escarpée qui s'élevait par gradins à pic.

Triuniak, monté sur un des degrés supérieurs, tâchait de devancer le renne pour le tirer du haut d'une pointe de rocher, tandis que Guillaume Dubreuil suivait et appuyait les chiens.

Ce qu'avait prévu l'Uski arriva. La bête vint se heurter contre un mur de granit. Il fallait ou sauter plus bas, ou faire tête à la meute. Le renne se retourna pour juger de la force de ses ennemis, et pendant qu'il calculait ses chances d'évasion, en fouillant avec fureur la terre de son sabot, Triuniak lui décocha un flèche qui le perça au défaut de l'épaule.

Le noble quadrupède tomba, et les chiens se ruèrent sur lui comme des loups affamés.

—Prends garde à toi, mon frère, il n'est pas encore mort, cria le Groënlandais à Dubreuil, accourant à toutes jambes.

Mais, déjà, il était trop tard; le renne s'était relevé, comme mu par un ressort, et s'était jeté, en poussant une plainte déchirante, sur le capitaine, qu'il renversa d'un coup de sa terrible ramure.

Triuniak s'élança vers le jeune homme qui gisait horriblement mutilé près du corps expirant du monarque des montagnes groënlandaises.

Tant bien que mal il pansa ses blessures, l'installa sur son traîneau et revint à marches forcées au village.

En y arrivant, le pauvre père apprit que Toutou-Mak, sa fille chérie, avait disparu depuis la nuit de son départ.

VII

LA FUITE

L'hiver était venu, le long, le terrible, hiver des régions boréales, avec ses froids épouvantables qui font fendre les arbres, éclater les rochers, avec ses épais brouillards, ses vapeurs de glace fumantes[12], qui brûlent, enlèvent la peau de quiconque s'expose à leur contact, avec ses tourmentes de neige, qui répandent la désolation et la mort partout où elles traînent leur livide linceul.

[Note 12: Les Canadiens-Français leur ont donné le nom de fumée de glace. Ce sont des vapeurs qui jaillissent des crevasses de la glace marine ou de la surface des lacs, et qui, formant dans l'air un réseau transparent et solide, sont souvent poussées par le vent, rasent le sol, dévastent tout devant elles, et tuent parfois les hommes et les animaux qu'elles atteignent.]

Alors se lamentent les êtres vivants: l'homme murmure dans sa hutte souterraine, le renard glapit aigrement à la recherche d'une maigre proie, l'ours grogne en sa tanière, les lourds cétacés mugissent dans les antres marins, et les corbeaux croassent d'un ton lugubre sous un ciel de plomb.

Le capitaine Guillaume Dubreuil n'avait pas quitté son lit de souffrances depuis trois mois. Cependant l'état du malade s'améliorait, au grand contentement du pauvre Triuniak, car son protégé avait bien failli succomber aux affreuses blessures que lui avait faites le renne. Et, plus d'une fois, le patient s'était rappelé le proverbe français: *Au cerf la bière, au sanglier le mière.* Accablé par les douleurs physiques et morales, il souhaitait presque de mourir.

Que lui importait la vie! quel charme offrait-elle maintenant à son esprit abattu, à son coeur flétri! Toutou-Mak n'avait pas été retrouvée, malgré les minutieuses recherches de Triuniak. Il n'était pas probable qu'elle reparût au village. N'était-il même pas préférable qu'elle n'y revint jamais, si elle existait encore? Kougib, l'infâme Kougib l'avait enlevée. On n'en pouvait plus douter, puisque sa loge était vide depuis la nuit où l'on avait cessé de voir Toutou-Mak!

Cependant, à mesure qu'il renaissait à la santé, Dubreuil reprenait quelque goût aux choses de ce monde. Il achevait de se perfectionner dans la langue esquimaue, et recueillait soigneusement toutes les informations qu'il pouvait obtenir sur la topographie du pays et des contrées avoisinantes.

C'est ainsi qu'il apprit que la partie du Succanunga où il se trouvait était séparée au nord-ouest d'une terre moins aride et plus chaude, par un bras de mer que les Uskimé avaient traversé jadis en une demi-lune pour aller s'établir au sud, sur une île très-rapprochée de cette terre, et où la nuit était égale au jour.

—C'est là, lui dit un vieillard qui lui donnait ces indications, c'est là qu'Ajut a reconnu son frère Anningait dans son amant.

Guillaume savait que les Groënlandais appellent de ces noms le soleil et la lune. Mais, pour eux, la lune est un jeune homme (Anningait), le soleil est une jolie femme (Ajut).

—Comment cela? demanda-t-il.

—Je vais te le dire, mon frère.

Un soir, Ajut et Anningait étaient réunis avec plusieurs amis, dans une loge de cette île où ils se régalaient de chair d'ours et de graisse de phoque. On avait allumé des lampes, quoique ce fût en été, car, là-bas, ce n'est pas comme chez nous, il fait sombre la nuit. Anningait avait une passion pour sa soeur à l'insu de celle-ci. Après le banquet, il voulut lui faire des caresses sans être vu, et par conséquent il éteignit les lumières. Mais elle, très-curieuse comme la plupart des femmes, n'aimait pas ces caresses dérobées. Alors, elle noircit ses mains avec de la suie, afin d'en marquer les mains, la face et les vêtements de l'amant inconnu qui s'adressait à elle. Telle est la raison des taches qu'on distingue sur Anningait; car, portant, en cette circonstance, un costume de peau de daim blanche, il fut tout maculé de suie. Ajut sortit ensuite pour allumer une mèche de mousse. Anningait en fit autant. Mais la flamme de sa mousse fut éteinte. C'est pourquoi Anningait (la lune) ressemble à un charbon ardent et ne brille pas comme Ajut (le soleil). Tous deux rentrèrent dans la maison, Anningait se mit à poursuivre Ajut, qui s'enfuit dans les airs, l'autre courant sur ses pas. C'est ainsi qu'ils continuent de se donner la chasse, quoique la carrière d'Ajut soit bien plus élevée que celle d'Anningait.

—Revenons à ce que tu me disais, mon père, reprit Dubreuil, après cette explication. Cette île est située au sud?

—Oui, mon fils, au sud de la terre ferme.

—Son climat est moins rigoureux que celui-ci?

—Beaucoup moins. On y voit de grandes forêts d'arbres comme celui que tu as ramené de la côte avec Triuniak. Le gibier abonde. Les lacs et les rivières ne restent gelés que pendant cinq lunes, et la mer, tout autour, est poissonneuse.

—L'île est-elle habitée?

—Elle est peuplée par des hommes rouges, appelés Boethics.

—Ah! ce sont les Indiens-Rouges! s'écria Dubreuil, se rappelant que Triuniak lui avait dit que Toutou-Mak était originaire de cette tribu.

Les paroles du vieillard l'intéressaient vivement, car, si elles étaient exactes, cette île devait émerger de l'Océan atlantique, sur la route de France, vers la mer polaire, par les 47° de latitude nord environ. Mais, en apprenant qu'elle avait été la patrie de l'infortunée Toutou-Mak, l'intérêt du capitaine augmenta encore, sans qu'il sût vraiment pourquoi.

—Ce sont des hommes rouges, ennemis des hommes cuivrés, répondit son interlocuteur.

—Tu les as vus, mon père?

—Je les ai vus, il y a bien, bien des lunes, quand les Uski sont allés vers l'Orient, pour y établir leur résidence. Nous comptions alors une foule d'hommes braves et déterminés. Mais la maladie, le scorbut, les a fait tomber comme tombe la neige dans un tourbillon, et les gens de l'île nous ont repoussés.

—Je croyais que vous aviez été les plus forts!

—Les plus forts! Si nous l'eussions été, mon fils, est-ce que nous habiterions le Succanunga? est-ce que nous aurions quitté cette île après l'avoir conquise? Penses-tu que les Uski n'aimeraient pas mieux résider sous un ciel doux où l'hiver ne dure que sept mois, où l'été fait mûrir toute sorte de fruits savoureux, où les cours d'eau sont obstrués par le saumon, les bois encombrés par les rennes, que d'arracher une maigre subsistance à cette ingrate et détestable contrée! De mon temps les jeunes gens étaient plus courageux! Ah! ils ne se seraient pas laissé ainsi endormir dans la misère et le dénuement, tandis qu'à quelques journées d'eux règnent l'abondance et la fertilité!

Et le vieil Esquimau secoua douloureusement sa tête blanchie par les ans.

—Cette île, mon père en connaît-il le nom?

—Les Boethics l'appellent Baccaléos.[13]

[Note 13: C'est à cette île qu'on donne à présent le nom de Terre-Neuve.]

—Baccaléos! fit Dubreuil tressaillant et passant les mains sur son front, comme pour évoquer des souvenirs; j'ai déjà entendu prononcer ce nom... oui... par des pêcheurs normands, ajouta-t-il en aparté.

—Les hommes rouges, dit le vieillard, m'ont rapporté avoir vu des hommes blancs comme toi, avec qui ils avaient échangé du poisson contre des ustensiles de même matière que les boutons de l'habit que tu avais en arrivant chez nous. Des hommes blancs étaient, disaient-ils, montés sur des *konè*[14] aussi hauts qu'une montagne de glace et aussi grands qu'une baleine.

[Note 14: Le plus grand canot des Esquimaux. Ils s'en servent pour la pêche de la baleine.]

—Mais baccaléos n'est-il pas le nom d'un poisson? s'enquit le capitaine Guillaume, prêtant une attention de plus en plus vive à ces renseignements.

—Oui, c'est le nom d'un poisson long comme une flèche, à grosse tête, couvert d'écailles grises sur le dos, blanches sous le ventre, avec des taches jaunes. Il fraie quelquefois dans nos baies, mais rarement.

—La molue[15] pensa Dubreuil, la description est parfaite.

[Note 15: Nom donné autrefois à la morue.]

—On le prend sur le bord de la mer, en quantités si considérables qu'une seule pêche suffirait pour nourrir tout notre village pendant une saison.

—Mais l'île est-elle vaste?

—Ah! mon fils, je ne sais pas quelle est son étendue. Je me rappelle, cependant, avoir entendu dire qu'il fallait une lune à un kaiak pour en faire le tour.

—Mon père y est demeuré longtemps?

—Deux ans, mon fils. Fait prisonnier par les hommes rouges, je suis resté en captivité jusqu'à ce que j'aie pu m'échapper.

—As-tu connu les parents de Toutou-Mak? interrogea Dubreuil d'un ton mélancolique.

—Non, je n'ai pas connu les parents de la fille adoptée par Triuniak. Je sais seulement que son père commandait les hommes rouges. Elle tomba entre les mains des Uski le jour de notre débarquement dans l'île. Mais comme je fus pris moi-même ce jour-là, je ne savais pas ce qu'elle était devenue, quand, à mon retour, je la retrouvai ici.

—Mon frère pourrait-il me dire quel est le caractère de ces Indiens?

—Je les déteste et je les méprise. Ce sont les enfants d'une chienne et d'un loup, s'écria le vieillard avec autant de dédain que de dégoût.

Vainement Dubreuil essaya-t-il de le questionner davantage sur ce sujet, il n'en put tirer une réponse satisfaisante.

Avec les données et les notions qu'il avait acquises, le capitaine dressa, sur une peau de renne bien passée, une carte des côtes du pays où il supposait être, avec le bras de mer désigné par le vieillard, et l'île de Baccaléos, par rapport à leur position présumée sur le globe.

Tout grossièrement esquissée qu'elle fût, cette carte ne manquait pas d'exactitude.

Sa confection, loin de décourager Guillaume par la vue de la grande distance où il était de sa patrie, lui releva le moral. Il se dit qu'avec un bateau de quelques tonneaux on pourrait franchir l'Océan, ou tout au moins le détroit dont lui avait parié le Groënlandais, de là gagner Baccaléos, et pourquoi pas ensuite les rives de France? Peut-être que, tandis qu'on serait sur l'île, un vaisseau européen y viendrait faire la traite!

Au pis aller, mieux valait cent fois mourir d'une prompte mort au fond de la mer que de périr lentement sur les glaces du Succanunga.

Mais le bateau, où le trouver? Partir en kaiak eût été un suicide? L'ommiah ou le konè n'offrent guère plus de chance! quoique l'un et l'autre soient une embarcation assez spacieuse, où les Esquimaux logent leurs femmes, leurs enfants et leurs effets, quand ils entreprennent quelque lointaine expédition, et quoique ce fût assurément sur ces bateaux qu'ils avaient dû passer à Baccaléos. Mais ils connaissaient la route, étaient en nombre, et rompus à ce genre de navigation.

Dubreuil, pourtant, avait fini par se décider à fuir, à tout hasard, sur un konè, dès que l'hiver serait fini, quand il lui vint une idée.

Il appela Triuniak;

—Mon père, lui dit-il, voudrait-il me faire un présent?

—Tout ce que j'ai est à toi, Innuit-Ili, répondit cordialement l'Esquimau.

—Je désire avoir l'arbre que nous avons trouvé près de la crique à l'Ours.

—Le pin? dit Triuniak:, presque fâché d'avoir engagé sa parole.

—Ce pin?

—Que veut en faire mon fils?

—Je veux faire un grand canot.

—Le Groënlandais se mit à rire.

—Innuit-Ili se moque de Triuniak, dit-il gaiement.

—Tu verras que non, mon père.

La torche de l'espérance était rallumée dans son cerveau. Le capitaine recouvra promptement ses forces, son activité, son intelligence. Donnez un but noble aux passions de l'homme, elles le conduiront bien, elles feront son bonheur, mais, pour Dieu, gardez-vous de les supprimer, car vous ne feriez plus de lui qu'un être faible, mou, sans utilité pour les autres, à charge à lui-même. La passion, c'est le mobile et l'expression de la vitalité.

Que vos efforts tendent donc toujours à lui imprimer une direction utile, jamais à l'étouffer.

Dès qu'il se put lever, Guillaume Dubreuil alla visiter son arbre, enseveli sous six pieds de neige, devant la cabane de Triuniak. Il le fit exhumer. C'était un pin de la grande espèce, dont le tronc mesurait dix toises en longueur et quatre de circonférence.

Sur son emplacement même, le capitaine bâtit une cabane voûtée, avec des moellons taillés dans un banc de neige durcie, sur lesquels on répandit de l'eau chaude pour cimenter la maçonnerie par la gelée. Des disques de glace, placés de distance en distance, éclairaient l'intérieur de la hutte.

Enfermé chaudement dans son chantier, avec une hache de pierre et une bisaiguë en dent de narval, il équarrit le gigantesque pin, lui donna la forme d'un vaisseau; avec le feu et une herminette dont il avait emprunté le tranchant à une défense de morse, il le creusa, l'évida et obtint ainsi une embarcation longue de cinquante pieds, profonde de cinq.

Les Uskimé étaient dans l'admiration. Jamais ils n'avaient vu pareil navire.

Leur surprise ne devait pas en rester là.

Guillaume fit abattre tous les plus gros arbres qu'on put trouver aux environs. Malgré l'imperfection de ses instruments et la mauvaise qualité du bois, il réussit à fabriquer des planches, dont il fit une quille, des bordages et des préceintes pour son vaisseau. Le tout fut recouvert de peaux, afin de le rendre étanche autant que pour le consolider.

Avec ses oeuvres mortes, le bâtiment eut alors sept pieds d'élévation, et une largeur de cinq.

Enchanté d'une construction dont il espérait tant, Guillaume songea à la ponter sur toute son étendue. Mais le bois lui manquait. Il fallut se contenter d'élever deux demi-ponts à la proue et à la poupe, avec une passerelle au-dessus du maître-bau, passerelle destinée à soutenir le mât principal du bâtiment.

On pense bien que, dans ces travaux, Dubreuil fut aidé par Triuniak et plusieurs Uskimé, tous ignorant le but du capitaine, beaucoup comptant toutefois que le navire leur servirait un jour pour opérer une descente sur l'île des Indiens-Rouges.

Seul, Triuniak soupçonnait peut-être les intentions de son hôte. Mais il était trop prudent pour laisser percer ses conjectures.

La coque du bateau terminée, Guillaume s'occupa du gréement. Il eut grand'peine à se procurer l'arbre nécessaire pour son mât principal. Quant aux voiles, aux cordages, les phoques, morses et rennes en firent les frais. Il manquait encore une ancre. L'ingéniosité du capitaine y suppléa. Dans une lourde pierre, façonnée en croissant, il ficha solidement des défenses de walrus: ce furent les pattes, une corne de narval, plantée au milieu du caillou, fut la verge; un fanon et un os de baleine, les jas et l'arganeau.

A la fin de mai, l'oeuvre était terminée: mais Dubreuil avait plus d'une fois besogné sans relâche pendant quinze heures.

Restait une opération d'exécution difficile: le lancement, car on était à plus d'une lieue de la côte.

Tous les traîneaux du village sont rassemblés. Le bâtiment est assujetti sur les uns. Sur les autres, on place ses mâts, ses agrès.

Cinquante chiens sont attelés à la pesante machine, qui s'ébranle et suit bientôt un chenan de glace uni, disposé à cet effet.

On arrive à la côte.

Là, Dubreuil, qui songe à tout, qui veille à tout, a préparé un plan incliné, et un bâti latéral de glaçons, avec un bassin d'eau entièrement libre au-dessous.

Par le moyen de leviers et de rouleaux, le navire est poussé dans le coulisseau, des Uskimé placés derrière, avec des câbles fixés à la poupe, l'empêchent de plonger trop précipitamment dans les flots.

Le capitaine donne un signal convenu, ses hommes filent leurs lignes, et la *Toutou-Mak* (ainsi Guillaume avait-il baptisé le bateau) glisse doucement et arrive sans accident à la mer, où elle se balance avec grâce, aux acclamations de tous les spectateurs.

Le coeur de Dubreuil était trop plein. Oubliant la compagnie qui l'entourait, il tomba à genoux, éleva ses mains vers le ciel, et remercia celui qui avait inspiré son entreprise et lui avait prêté le courage et l'adresse pour la mener à bien.

Ensuite, il établit le gouvernail, le mat de beaupré et le grand mât au sommet duquel furent arborées les couleurs de France, sous forme d'un pavillon blanc, en duvet de cygne, tissé, hélas! pour un autre usage, par la pauvre Toutou-Mak.

La journée ne pouvait se terminer sans une fête.

Elle eut lieu dans le chantier, Triuniak présida aux préparatifs; tous ceux qui avaient concouru à la construction de la *Toutou-Mak* y assistèrent avec leurs femmes.

Ce fut, comme toujours, une colossale goinfrerie, aux dépens des troupeaux amphibies de la côte.

Des chants, des danses au son du tambourin, vinrent ensuite seconder le travail de la digestion, et, pour bouquet, les Uskimé se livrèrent fort amicalement à l'échange de leurs huileuses cunè. Un simple rideau de pelleterie tendu dans le fond de la loge voilait seul les doux mystères des Groënlandais, qui, à tour de rôle, allaient s'ébattre dans la voluptueuse retraite.

De bonne heure, Dubreuil avait quitté ses convives et il s'était retiré à bord de son navire; car, craignant que la malveillance de quelque ennemi ne détruisît, par l'eau ou par le feu, l'ouvrage qui lui avait coûté tant de patience, il avait résolu d'en faire sa demeure, jusqu'au jour de son départ.

Le brave capitaine, réfléchissant à ce départ, le désirait et l'appréhendait en même temps. Il lui semblait dur de se sauver comme un criminel, de délaisser Triuniak qui le traitait en fils, et auquel il s'était sincèrement attaché. Si l'Esquimau eût voulu l'accompagner, avec quelle satisfaction il l'aurait associé à sa fortune! Mais Triuniak aimait trop, sans doute, la terre qui l'avait vu naître pour se risquer dans un voyage d'aventure. Le prévenir de ce voyage? Non. Il chercherait à arrêter Dubreuil par telle ou telle considération. Peut-être son dépit de n'être pas écouté le pousserait-il à anéantir le vaisseau!

—Non, non, s'écria Guillaume, je dois mettre à la voile brusquement, sans souffler mot de mon projet, et à la grâce de Dieu!

Cette exclamation venait de lui échapper, le lendemain matin, alors qu'il arrimait différents objets dans sa cabine, quand un kaiak se présenta à la poupe de la *Toutou-Mak*.

Ce canot amenait Triuniak.

Le Groënlandais monta lestement à bord. Son visage était soucieux. Dubreuil le remarqua, mais il attendit que l'Uski lui fit volontairement part du motif de sa gravité inaccoutumée.

—Mon fils, dit-il, après s'être accroupi sur le plancher, tu ne m'as jamais dit dans quelles intentions tu bâtissais ce grand kuné. J'ai respecté ton secret, je le respecterai encore. Mais, promets-moi, au nom de ce Dieu des blancs, dont tu m'as si souvent entretenu, que tu ne te proposes pas de me quitter.

La question était faite carrément. Impossible de s'y soustraire. Le capitaine prit un parti décisif. Le mensonge lui était odieux. Il répondit donc nettement:

—Je ne te cacherai pas davantage, mon père, que le souvenir de ma patrie me tourmente cruellement. Ni ta bonté, ni ta sollicitude incessante pour moi n'ont pu triompher du sentiment qui m'agite, en songeant à mes chers parents. Ah! ajouta-t-il d'une voix altérée, si ta fille, si Toutou-Mak fût devenue mon épouse, je me serais fixé à jamais dans le pays qu'elle habitait. Mais, depuis qu'elle a disparu, la vue des lieux où elle passa sa jeunesse afflige mon âme. J'ai résolu; de m'en éloigner, de regagner la France, ou de périr dans l'abîme.

—Triuniak le savait, dit l'Uskimé; il comprend, tes chagrins, Innuit-Ili; il n'est point irrité contre toi. Mais pourquoi as-tu douté de sa tendresse?

—O mon père, je n'en ai jamais douté, le ciel m'est témoin! s'écria Dubreuil.

—Tu t'abuses toi-même, car ce dessein grossissait ton coeur, et tes lèvres étaient muettes.

Le capitaine baissa la tête, et l'Uski continua;

—Si tu réussis, reviendras-tu nous voir?

—Oh! oui, je reviendrai avec des bateaux deux fois plus grands que celui-ci, et des instruments, des provisions pour récompenser les Groënlandais de leur généreuse hospitalité.

—Tu reviendras! répéta Triuniak, d'un air songeur.

—Je te le jure, mon père.

—Si je t'accompagnais, tu me ramènerais avec toi?

Et l'Indien plongea ses yeux perçants dans ceux du jeune homme.

—Quoi! s'exclama-t-il, tu m'accorderais ce bonheur!

—Innuit-Ili, j'ai perdu l'enfant que je chérissais. J'éprouve peu d'affection pour sa soeur. Toutou-Mak n'étant plus, toutes mes tendresses se sont portées sur toi. Je ne puis te laisser partir seul. Dans un rêve, Torngarsuk m'a conseillé d'unir ma destinée à la tienne, si tu t'obstinais à quitter le Succanunga, mais à une condition, c'est de ne point laisser mes ossements sur une terre étrangère!

Le capitaine leva la main en disant:

—Au nom du Dieu des chrétiens, moi Guillaume Dubreuil, naufragé sur cette côte, je prend» l'engageaient solennel, si tu me suis dans ma patrie, Triuniak, de t'y faire respecter et soigner, comme tu m'as fait respecter et soigner ici, et de te reconduire ou faire reconduire au Succanunga dès que tu en manifesteras la volonté.

—Bien, mon fils, j'ai foi en ta parole, dit l'Esquimau en l'embrassant. A présent, nous devons nous hâter de faire nos apprêts, car je crains que l'angekkok-poglit ne fasse incendier ton bâtiment, qu'il prétend être une invention du diable.

—Si nous avions des provisions en abondance, dans deux jours nous voguerions vers la France. Ah! je te remercie de te joindre à moi. Si tu savais, Triuniak, comme mon coeur saignait à la pensée de me séparer de toi.

—Des provisions, dit l'Uskimé! j'ai tout le train de derrière d'un renne, plus de cinquante poissons secs, dix pots d'huile, trois carcasses de morse, et les cinq phoques tués avant hier; n'est-ce pas suffisant?

—Oui, ce serait suffisant, dit Dubreuil, mais l'eau douce! tu n'as pas de vases assez grands pour en mettre la quantité indispensable! voilà ce qui m'inquiète.

—Pas de vases, mon fils! tu oublies les outres dont nous nous servons comme de...

—Ah? tu as raison! tu as raison! je n'y pensais plus! s'écria le capitaine en frappant joyeusement ses mains l'une contre l'autre.

Le soir même, les vivres et l'eau étaient à bord de la *Toutou-Mak*. Durant la journée suivante Dubreuil et Triuniak y embarquaient leurs armes, leur mobilier, tout ce qu'ils possédaient, ainsi que deux kaiaks et un ommiah, pour servir de chaloupe.

Et le lendemain, après avoir remorqué le navire hors de l'anse où il était mouillé, les deux hardis aventuriers déployaient leurs voiles à une bonne brise nord-est, et quittaient les rives du Groënland, escortés par les sinistres prédictions des habitants du village, que la nouvelle de leur départ avait attirés sur la côte.

VIII

LA TRAVERSÉE

La Toutou-Mak présentait certainement un aspect des plus pittoresques, avec ses varangues garnies de peaux, et ses voiles de basane huilées à fond, pour les préserver de l'action de l'eau et du soleil.

Dans son ensemble, elle avait, il est vrai, à peu près la physionomie d'un vaisseau ordinaire; en y mettant beaucoup de bonne volonté, on l'aurait prise de loin pour une goélette. Mais, de près, c'était autre chose. Elle n'appartenait à aucun ordre de l'architecture navale; et, sans doute, si elle eût touché à quelque port civilisé, les habitants l'auraient considérée avec la même surprise qui frappa les Indiens quand, pour la première fois, ils aperçurent des vaisseaux européens. J'ai même lieu de croire que la figure placée au-dessus de l'éperon n'aurait pas du tout rassuré nos braves riverains. Dieu sait, cependant, quel soin le capitaine Dubreuil avait apporté à la sculpture de cette figure, le portrait intentionné de la fille de Triuniak, on l'a deviné. Il avait pourtant soulevé l'enthousiasme des Groënlandais, ce portrait, voyez un peu! Aucun qui n'eût reconnu la jeune et charmante Toutou-Mak. Et c'est ainsi que varient les goûts, la manière d'apprécier, déjuger les objets!

Quant aux marins qui montaient l'étrange bateau, à cette époque, vous et moi nous eussions crié qu'ils descendaient de la lune; peut-être même nous serions-nous signés! Le diable prenait tant et de si grotesques masques au XVe siècle. Vite! un prêtre, un moine, de l'eau bénite! Prions, mes frères, la fin du monde approche! Souvenez-vous que ce n'est que par notre intercession que la réalisation des funestes prédictions de l'an Mil a été retardée. Un exorcisme! un exorcisme!

Le fait est que les deux bateliers le disputaient par leur extérieur et par leur contraste personnel, en singularité avec le bâtiment. Tout velus de la tête aux pieds, l'un porteur d'une longue barbe noire, encadrant des joues d'une blancheur de marbre, l'autre la face glabre, d'un rouge de batterie de cuisine, ils avaient un faux air de l'Esprit malin, sous deux de ses métamorphoses favorites: le beau séducteur qui enlevé les jeunes filles, abuse des jeunes femmes, et le vilain démon qui s'introduit le soir, par la cheminée, au foyer du prolétaire pour lui acheter son âme.

Sans grand effort d'imagination, leurs bottes fourrées auraient recelé le pied fourchu, sous leur capuchon, plus d'un oeil perçant aurait distingué les indispensables cornes.

Assis à la poupe de son bâtiment, Guillaume Dubreuil tenait la barre du gouvernail; Triuniak, posté tantôt sur la passerelle, tantôt sur le pont de l'avant, manoeuvrait les voiles sous ces ordres.

Et la *Toutou-Mak* marchait à merveille, la coquette! elle eût lutté avec le plus fort voilier qui fût encore sorti du havre de Dieppe. Suivant le calcul de Dubreuil, elle filait sept à huit noeuds. Depuis leur départ du Succanunga, c'est-à-dire depuis trois jours, ils avaient bien fait soixante lieues.

Triuniak ne se possédait pas de ravissement.

—Mon fils est le premier des angekkok-poglit, dit-il en s'approchant, une après-midi, du capitaine.

—Ah! si j'avais seulement une boussole! fit Dubreuil.

L'Esquimau ne savait, comme de raison, ce que c'était que la boussole. Dubreuil essaya, en vain, de lui expliquer le mécanisme de cet instrument.

—Si je le possédais, fit-il, et si le vent ne nous était pas trop contraire, avant deux lunes nous serions en France!

—Mais, repartit le sauvage, puisque ton pays est au soleil levant, nous irons bien sans le secours de ce que tu appelles une boussole.

—Oui, si les nuits sont claires et le temps toujours serein. Alors je pourrai m'orienter.

—Je croyais t'avoir entendu dire qu'à l'est, il faisait, dans cette saison, une chaleur qui ne cessait qu'à la lune des neiges.

—Oui, je t'ai dit cela, et c'est vrai.

—S'il fait chaud, le soleil brille alors, s'écria l'Uskimé, enchanté de sa logique, car, suivant ses idées groënlandaises, il n'y avait guère de chaleur possible sans soleil.

—Non, lui répondit Guillaume. Dans ma patrie, la chaleur est souvent excessive, et le ciel couvert. Mais c'est moins cela que je redoute que les brouillards.

—S'il fait du brouillard, on aborde, et on attend dans les îles qu'il soit passé, repartit Triuniak, qui ne concevait pas qu'on pût être éloigné de plus d'une journée de la terre.

Sans répondre à cette naïveté, Guillaume lui demanda:

—Es-tu certain, mon père, qu'il existe devant nous, à peu de journées, un pays habité?

—J'en suis sûr, car je l'ai traversé.

—Combien de temps es-tu resté en chemin?

—L'Uskimé compta sur ses doigts.

—Un quart de lune, dit-il ensuite.

—Tu as donc trouvé des îles sur la route?

—Sans doute, mon fils. Ou eussions-nous campé? Mais aurais-tu le désir de t'arrêter chez les Indiens-Rouges? ajouta-t-il d'un ton méfiant.

—Je ne sais, dit le capitaine. Où le vent me poussera, j'irai, j'avoue néanmoins que, si je le puis, je jetterai l'ancre à Baccaléos.

—Pour t'y faire égorger! les Boethics mangent les autres hommes.

—On m'a appris que ces gens trafiquent avec les blancs. Je le crois, car j'ai déjà entendu parler de leur île par nos pêcheurs. Aussi, ai-je confiance que, reconnaissant en moi un Blanc, ils ne me feront aucun mal. Quant à toi, mon bon père, je saurai bien te défendre... Ah! qu'est-ce que cela?

Un choc violent avait ébranlé le navire dans toute sa charpente.

—Aurions-nous touché? pensa Dubreuil. Mais quoi? en pleine mer. C'est impossible... à moins d'un écueil sous-marin, ou un glaçon!...

Et il cria à Triuniak;

—Mon frère, abats les voiles.

Cependant le bateau recevait des secousses alarmantes; il roulait de bâbord à tribord d'une façon inconcevable, car l'Océan était calme et la brise régulière, quoique forte.

Laissant le gouvernail, Guillaume s'élança à l'avant du navire, qui formait leur soute aux provisions.

Quelle fut la stupéfaction du capitaine, en apercevant une longue corne de narval passée à travers la joue de tribord. Elle ressortait de plus de deux pieds sous le pont. Un de ces dangereux cétacés avait rencontré le vaisseau, et s'était pris par son arme dans la carène: il n'y avait pas à en douter. Le cas était d'une gravité extrême; car, en doublant d'efforts pour se dégager, l'énorme poisson menaçait de faire chavirer l'embarcation De plus, le bois se fendait là où il l'avait troué, et l'eau commençait à ruisseler dans la cale.

Dubreuil appela:

—Triuniak! Triuniak!

L'Esquimau accourut.

—Que me veux-tu, mon fils?

—Tiens! lui dit Guillaume.

—Le poisson à la longue corne!

—Oui, c'est un narval; mais n'y a-t-il aucun remède?

Attends, Innuit-Ili.

En disant cela, Triuniak se dépouillait de sa casaque et de ses bottes. Aussitôt déshabillé, il saisit un harpon, et sauta à la mer. Le vaisseau était en panne. Triuniak plongea sous la quille.

Peu à peu, Dubreuil, qui se tenait sur le beaupré, vit la mer se teindre en rouge, son bâtiment oscilla avec violence pendant une minute, puis les mouvements diminuèrent et cessèrent tout à fait.

Triuniak reparut à la surface des vagues.

Il tendit son harpon au capitaine, en prononçant ces mots:

—Il est mort. Innuit-Ili, donne moi une corde avec un crochet.

Quant il eut ce qu'il avait demandé, l'Esquimau replongea, demeura quelques secondes sous l'eau, remonta au-dessous et dit:

—Mets un kaiak à la mer.

Dubreuil lui obéit à l'instant.

Triuniak s'aidant des liures de beaupré, grimpa dans le canot, fixa à sa ceinture la corda que lui avait remise Guillaume, et lança, de toute sa vigueur, l'esquif en avant de la *Toutou-Mak*, après avoir dit, au capitaine:

—Mon frère va presser sur la corne.

Ses instructions furent exécutées, et, au bout d'un quart d'heure à peine, le poisson, auquel Triuniak avait lié son crochet, cédant à la traction du canot d'un côté, à la poussée du capitaine de l'autre, quitta le bois dans lequel il s'était enchevillé, et flotta à la remorque du kaiak.

Quand Dubreuil eut fermé la voie d'eau, on hissa le narval à bord de la Toutou-Mak.

Il avait vingt pieds de long.

Les aventuriers, ayant autant de provisions qu'il leur en fallait, se contentèrent de déchausser sa magnifique lance d'ivoire, et abandonnèrent la carcasse aux goélands, après avoir levé quelques filets pour leur repas du jour.

On avait retendu les voiles, et le navire cinglait admirablement, en faisant route vers l'est-nord-ouest.

Dans la soirée, Dubreuil, qui avait établi son domicile près du gouvernail, ne remarqua pas sans appréhension un point noir courant au ciel, du septentrion en orient.

C'était le précurseur trop fidèle d'une tempête.

Elle éclata au milieu de la nuit. D'abord, le vent s'éleva par degrés: l'Océan grossit, écuma. Ensuite retentirent de longs mugissements. Quelques paquets de mer balayèrent le gaillard d'avant. Pour empêcher que l'eau n'emplît l'espace libre compris entre les deux ponts, ce qui aurait déterminé la submersion du navire, Guillaume fit couvrir cet intervalle de peaux huilées.

Le vent augmentait.

Aux flancs de la *Toutou-Mak*, il fouettait furieusement les vagues, tordait son grand mat comme un roseau, jouait avec le frêle, bâtiment, qu'il lançait de la cime d'une montagne liquide dans le fond d'un gouffre, le rattrapait au moment où il semblait devoir être englouti, le renvoyait au sommet d'une lame géante, et le traitait enfin comme le volant d'une raquette.

Jusque-là, pour un marin expérimenté, le danger n'était pas extrême.

Mais les rafales sèches, stridentes, ne tardèrent pas à fondre sur le malheureux navire. Elles le martelaient à droite, à gauche, en avant, en arrière, partout. On eût dit qu'elles voulaient le fracasser, le réduire en pièces. Avec elles, l'Océan se prit à pousser des rugissements atroces, et à déferler sur la poupe et la proue de la *Toutou-Mak* avec une rage telle que Dubreuil fut obligé de quitter sa place, de peur d'être emporté par l'ouragan.

Du reste, le gouvernail ne fonctionnait plus. La nuit était si noire qu'on ne voyait pas d'un bout du vaisseau à l'autre; le naufrage, la mort paraissaient inévitables.

Dans la cabine régnait une obscurité profonde, et il y avait déjà un demi-pied d'eau.

Triuniak chantait au milieu des ténèbres, mais son chant était lugubre. C'était comme la prière des agonisants.

—Torngarsuk n'a pas voulu protéger le voyage d'Innuit-Ili, dit-il au capitaine.

—Implore plutôt le Dieu des blancs et laisse là ton idole! répondit sèchement Dubreuil.

Alors, il s'aperçut que l'eau haussait dans la cabine.

—Vais-je me laisser abattre? s'écria-t-il, vais-je périr faute d'essayer de me sauver? Non. Je ne serais plus moi. Aide-toi, te ciel t'aidera!

L'Esquimau continuait son antienne.

—Triuniak, lui dit-il, cherche un vase et imite-moi.

—Pourquoi faire? dit insoucieusement le Groënlandais.

—Vider l'eau qui envahit notre bateau.

—Ce sera un travail sans fruit, mon fils.

—Non, non, s'écria Guillaume, frappant du pied avec impatience; fais comme moi, il y a encore de l'espoir!

Le capitaine s'empara d'un vaisseau de bois, et courageusement se mit à rejeter dans la mer l'eau qui, à tout instant, envahissait son navire. Ce travail était pire que celui de Pénélope, car Dubreuil ne parvenait pas à arrêter le flot qui montait de plus en plus.

Triuniak s'était difficilement décidé à le seconder. Il l'assistait de mauvaise grâce, avec la tiédeur d'un homme convaincu que sa mort est proche et que nul effort ne le pourrait sauver.

D'ailleurs, il ne se plaignait ni ne murmurait; il attendait froidement l'accomplissement de sa destinée. Bien qu'il paralysât l'activité habituelle de son compagnon, ce stoïcisme obligeait Dubreuil à une secrète admiration.

La Toutou-Mak commençait à enfoncer; le capitaine jeta la meilleure partie des provisions par-dessous bord. Ce moyen suprême lui réussit. Le bateau se maintint à fleur d'eau, jusqu'à ce que, vers le matin, la tourmente s'apaisa tout à coup.

Un beau et joyeux rayon de soleil jaillit à l'horizon comme pour saluer la trêve que venaient de signer les éléments.

Sa brillante clarté réconforta le capitaine.

Cependant ils n'étaient point encore sauvés.. L'Océan moutonnait autour d'eux. Leur bateau, fatigué, défoncé, ouvert en vingt places, menaçait de sombrer. Nulle part on ne distinguait une côte, et les deux navigateurs avaient de l'eau jusqu'à la ceinture.

—Allons, hardi, mon père! criait Dubreuil, vidons notre koné.

L'Esquimau, lui aussi, s'était senti ranimé par l'apparition de l'aurore.

Il lutta d'ardeur avec le capitaine, et, après un travail opiniâtre qui dura jusqu'à midi, ils eurent la satisfaction de voir leur embarcation à peu près asséchée, et leurs voies d'eau aveuglées avec des morceaux de peau de phoque.

Le grand mât avait été cassé. On le raccommoda du mieux possible, ainsi que le gouvernail, et le navire reprit assez légèrement sa route.

—Innuit-Ili, dit Triuniak au Français, tandis qu'ils mangeaient une tranche de morse à demi avarié par l'eau de la mer, je veux apprendre à connaître le Dieu de ta race, car il est plus fort que celui des Uski. Il a battu Torngarsuk: tu m'enseigneras à le remercier.

—Mets-toi à genoux, joins tes mains, et répète avec moi les paroles que je vais prononcer, répondit aussitôt Dubreuil.

Ils se prosternèrent tous deux sur le pont, et, d'une voix profondément émue, Guillaume récita le Credo, cette éloquente reconnaissance de la divinité par les chrétiens.

—Tu m'instruiras dans ta religion, mon fils, dit l'Uski, quand ils eurent élevé à l'Éternel l'hymne de leur gratitude.

—Oui, mon père, dès que nous serons en France.

Et, à part lui, il ajouta:

—Seigneur, faites que nous y arrivions un jour! Si ce n'est pour moi, que ce soit pour la conversion de ce bon sauvage, et pour la glorification de votre saint nom!

—Un oiseau! cria tout à coup le Groënlandais, en montrant un guillemet noir qui venait de se percher au haut du mât.

—Mon père, nous approchons de la terre. Ce volatile en est le messager. Tu vois que le Dieu que j'adore a exaucé nos prières, dit Dubreuil plein de joie.

Bientôt, des pétrels se mirent à croiser dans le sillage de la *Toutou-Mak*. Ces jolis habitants de l'air, planant gracieusement sur leurs ailes déployées, se balançaient, une minute, puis rasaient le navire avec la rapidité de la flèche. Ils allaient, partaient, revenaient, décrivaient cent évolutions, et finissaient par s'abattre pour faire une course pédestre à la cime des flots.

—Voici la côte! dit Dubreuil.

Et son doigt indiqua une ligne blanche, vivement incidentée, qui découpait le ciel droit devant eux.

Elle avait avec celle du Groënland une frappante ressemblance.

Triuniak mit ses yeux à neige pour l'examiner.

Au bout d'un moment, il dit à Dubreuil:

—Innuit-Ili, je reconnais ce rivage. C'est celui où nous avons abordé, il y a quinze hivers, quand nous sommes allés faire la guerre aux Irkili[16].

[Note 16: C'est ainsi que les Esquimaux nomment quelquefois les Indiens-Rouges.]

—Quoi! ce n'est pas Baccaléos! fit le capitaine d'un ton désappointé.

—Heureusement, mon fils, car ici nous trouverons des amis et tout ce dont nous aurons besoin, tandis qu'à Baccaléos, nous serions accueillis par les flèches et la fureur de l'ennemi, plus cruel que la tempête à laquelle nous venons d'échapper.

—Est-ce une île?

—Non, c'est une terre ferme, comme le Succanunga. Elle est peuplée par des gens de notre race. Ils furent nos alliés autrefois. J'espère qu'ils feront bonne réception à Triuniak et à son ami.

—Mais l'île de Baccaléos, où est-elle?

—A l'orient de cette terre, dont elle n'est séparée que par un étroit canal.

Sur cette indication, le capitaine eut, une seconde, l'idée de mettre le cap plus à l'est, quoique le vent le portât directement à la côte. Mais le délabrement de son embarcation l'en empêcha.

A la nuit tombante, ils entrèrent dans une baie, où Dubreuil jeta l'ancre.

Le lendemain, dès l'aube, ils lancèrent leurs kaiaks à la mer et gagnèrent le rivage. Il était encore jonché de glaçons, mais les approches de l'été se manifestaient de toutes parts. L'air avait plus de chaleur qu'au Groënland, la brise moins de vivacité.

Au sommet de la côte, l'oeil se reposait, à un mille de distance au plus, sur de vertes pelouses, ornées de jolis arbres, dont les boutons d'émeraude commençaient à s'ouvrir aux haleines bienfaisantes de la saison nouvelle.

Ce réjouissant spectacle rappelait trop au capitaine une scène de la fin de février, dans sa patrie, pour ne pas l'émouvoir doucement. Mais la comparaison ne se pouvait longtemps soutenir. Ces montagnes de glace, ces amas de neige fondante, cette absence d'êtres humains, la *sauvagerie* de ces lieux vous ramenaient bien vite et bien douloureusement au milieu de la mer septentrionale. Eût-il voulu caresser davantage ses illusions, Dubreuil y aurait été enlevé, tout d'un coup, par un grondement que les chasseurs les plus intrépides n'entendent jamais sans émoi.

—Les ours! les ours blancs! s'écria Triuniak.

Le capitaine, levant la tête, aperçut une douzaine de ces féroces animaux à la crête d'un cap glacé.

Ils étaient grands, maigres, décharnés. Leurs prunelles étincelaient de cruauté, et leur langue rouge, pendant d'une gueule armée de crocs aigus, semblait avoir soif de sang.

Ils coururent hardiment, deux par deux, sur nos voyageurs. Leurs intentions étaient très-claires. Il n'y avait pas à s'y tromper.

Dubreuil et Triuniak avaient des armes, plus une bravoure à toute épreuve. Mais quelle bravoure, quelles armes opposer à une bande de cette espèce! Le meilleur parti à prendre, le plus sage, c'était de battre en retraite. Où aller? la question se dressait redoutable, pressante! Les ours ne quitteraient cas aisément leur proie.

—Retournons à nos Canots, fit le capitaine à Triuniak.

Aussitôt ils se laissèrent glisser en bas de la côte. La troupe ennemie y arriva au moment où ils venaient de se jeter dans leurs embarcations.

—Au navire! c'est au navire qu'il faut nous rendre! dit Dubreuil.

—Les ours nous y suivront!

—N'importe! Nous nous défendrons. Partout ailleurs ils nous atteindraient, ou le reflux nous emporterait vers la haute mer, ce qui serait tomber d'un péril dans un autre.

La *Toutou-Mak* était mouillée à un demi mille de la plage. On n'avait pu l'approcher plus près, à cause des glaçons dont le fond de la baie était encombré.

Le chemin était difficultueux pour un canot entre ces glaçons. Les ours, qui s'étaient précipités à la mer sans hésiter, gagnèrent sur les kaiaks. Peu s'en fallut même que celui de Dubreuil ne fût rejoint et coulé par un des carnassiers.

Il levait déjà sa lourde patte, aux griffes acérées, sur le mince esquif, quand Triuniak le frappa à la tête d'un coup de pagaie, qui tourna contre l'Esquimau la fureur de l'animal.

Pour s'y soustraire, le Groënlandais quitta son canot et sauta sur un glaçon. Stupidement, comme l'avait deviné Triuniak, l'ours passa sa rage sur le kaiak qu'il déchira en morceaux.

Pendant ce temps, l'indien, se faisant un radeau du glaçon, arrive au navire où Dubreuil l'a précédé, monte sur le pont, et prend position près de son ami.

—Voilà, dit gaiement le capitaine, une compagnie dont nous nous serions volontiers privés.

—Si tu n'as pas peur, mon fils, nous nous en tirerons, dit l'Indien.

—Peur! dit Dubreuil en riant. Ah! père, tu ne me connais donc pas encore! Tiens, juge si j'ai peur!

Et, brandissant une angovikak ou lance non barbelée, il la planta dans l'oeil d'un ours qui cherchait à escalader le vaisseau.

La douleur fit malheureusement lâcher soudain prise à l'animal; il retomba dans l'eau, et Guillaume, qui tenait la lance à deux mains, perdant son point d'appui, fut entraîné dans cette chute.

IX

LA RIXE

Le reste de la troupe arrivait avec une effrayante célérité.

Pour secourir son ami, s'il échappait aux griffes de l'animal blessé, Triuniak n'avait qu'un moyen. Il l'employa.

Sautant à la soute aux provisions, l'Esquimau saisit dans ses bras cinq ou six gros quartiers de phoque, et remonta, d'un bond, sur le gaillard d'avant.

Les ours arrivaient en groupe sous la poulaine du navire.

Triuniak leur lança la pâture, morceau par morceau. Les bêtes affamées se précipitèrent, en grognant, en se disputant, sur cette proie, et, pour un moment au moins s'écartèrent de la *Toutou-Mak.*

Pendant ce temps, sans perdre son sang-froid, Dubreuil avait plongé sous le vaisseau et reparaissait à la poupe.

—Mon frère, lui dit Triuniak, change de pelisse et de bottes, tu en as le loisir. J'amuse nos ennemis.

Une minute après, la toilette du capitaine était faite.

Muni d'une nouvelle lance, il se remettait à son poste à côté de Triuniak.

A cet instant, une pique sortit obliquement de l'eau, puis une tête longue, blanche, pantelante, puis le corps du monstre que Guillaume avait blessé. Péniblement, et en soufflant comme un soufflet de forge, il gravit sur un glaçon. On le vit ensuite arracher, avec ses énormes griffes, l'arme fichée dans son oeil, la briser de fureur, ramasser de la neige dans sa patte et l'appliquer sur sa plaie, comme s'il eût eu connaissance des effets styptiques du froid.

Cela fait, il leva son mufle sanglant vers ses ennemis, articula un grognement et revint à la charge.

Triuniak l'attendait de pied ferme; il lui décocha une agliguk, flèche volante, qui le renversa cette fois pour ne se relever jamais. Ses compagnons alors se ruèrent sur son cadavre, le tirèrent sur la plage et le déchiquetèrent à belles dents.

Repus par ce banquet *fratriphage*, ils s'éloignèrent enfin, délivrant nos voyageurs des transes assez vives qu'ils leur avaient causées.

Cependant le retour de ces redoutables carnassiers était à craindre; c'est pourquoi Triuniak proposa de les poursuivre tandis que l'apaisement de leur faim les rendait lourds et plus faciles à tuer. Dubreuil approuva son conseil. Comme nos hommes avaient perdu un kaiak, ils retournèrent à la côte sur leur ommiah.

En arrivant au sommet, ils découvrirent les ours fuyant vers le nord, ardemment pressés par une bande d'Esquimaux.

—Voilà nos alliés, dit Triuniak, en montrant les Indiens.

—Penses-tu, mon père, que nous devions nous montrer à eux? demanda Dubreuil.

—Je t'ai dit qu'ils nous recevront comme des frères.

—Mais il y a longtemps que tu ne les as vus. Peut-être leurs dispositions ont-elles changé depuis lors.

—Le coeur des enfants de Torngarsuk ne change jamais, répondit Triuniak l'un ton convaincu.

—Je te crois. Pourtant, j'aimerais mieux les éviter. Nous n'avons pas besoin d'eux. Il y a ici des pins, de la résine, le gibier paraît abondant. Si tu étais de mon avis, nous ferions à notre navire les réparations qu'il exige, et nous repartirions immédiatement.

Cette proposition ne paraissait pas sourire au Groënlandais. Peut-être les dangers qu'il avait courus le dégoûtaient-ils déjà de son projet, peut-être le désir de revoir d'anciens amis l'emportait-il dans son esprit sur toute autre considération. Quoi qu'il en soit, il répondit à Dubreuil:

—Mon fils, nous ne poumons éviter tes Uski de ce pays.

—Oh! dans-quatre ou cinq jours nous remettrons à la voile!

—Mais les Uski chassent constamment dans ces parages. Si nous avions l'air de les fuir, ils nous traiteraient en ennemis. Je te le dis, portons-leur des présents.

—Des présente! nous n'en avons pas.

—Mon fils a oublié qu'il nous reste un morse tout entier. Nous les inviterons à le partager avec nous.

—Soit! que Triuniak fasse comme il l'entend! dit le capitaine en refoulant le dépit que lui causait l'obstination du Groënlandais.

Ils marchèrent donc à la rencontre des Esquimaux. Au surplus, eussent-ils voulu se cacher alors, qu'il était trop tard. On les avait aperçus, et les chasseurs avaient détaché deux de leurs hommes pour reconnaître les étrangers.

Parvenus à quelques pas d'eux, les émissaires firent une halte et préparèrent leurs armes avec des intentions hostiles.

Ils étaient vêtus à peu près comme les Esquimaux du Groënland, mais ils en différaient beaucoup par leur physionomie dure et repoussante. En leur présence, on se sentait devant une tribu belliqueuse et d'humeur jalouse.

—Dépose tes armes, mon fils, dit Triuniak au capitaine, en jetant sur la neige son arc, ses flèches et sa lance.

Dubreuil lui obéit à contre-coeur.

Triuniak s'avança paisiblement alors vers les arrivants. Mais ceux-ci restèrent armés.

—Mon frère, dit le Groënlandais, je suis Triuniak du Succanunga. J'ai fait avec vous la guerre aux Boethics. Voulez-vous allumer une lampe avec nous?

—Pourquoi mon frère a-t-il quitté le Succanunga? s'écria l'un des Indiens, dans la même langue que Triuniak, mais avec un accent que Dubreuil eut quelque peine à saisir.

—Moi et mon fils Innuit-Ili, nous avons quitté le pays pour visiter les braves guerriers d'Itteblinik,[17] répondit-il.

[Note 17: Mot à mot: *contrée des marais glacés* (Labrador).]

—Est-ce bien là la raison? fit le sauvage d'un ton soupçonneux.

—La langue de Triuniak n'est pas fourchue et son coeur est droit, répliqua fièrement le Groënlandais. Que mes frères demandent à mon fils!

Dubreuil s'approcha alors.

A sa vue, les nouveaux venus poussèrent un cri de surprise.

—Heigh-yaou!

—C'est, reprit Triuniak, un homme blanc que j'ai adopté.

—Heigh-yaou! heigh-yaou! répétaient les autres.

—Nos frères feront-ils amitié avec nous?

Mais les Uskimé, après avoir échangé un regard d'intelligence, tournèrent les talons et coururent à toutes jambes rejoindre leurs compagnons qui disparaissaient dans le lointain.

Cette brusque rupture sembla contrarier Triuniak. Un nuage passa sur son front, il mâchonna quelques paroles inintelligibles et alla reprendre ses armes, qu'il examina avec soin.

—Mon père n'est pas satisfait, dit Dubreuil en l'imitant.

—Non; mais attendons.

—Ne vaudrait-il pas mieux rentrer sur le vaisseau? Là, nous pourrions nous défendre, en cas d'attaque.

—Ton conseil est prudent, Innuit-Ili; mais si nous témoignions de la crainte, nous en inspirerions aussi, et comme nous ne sommes pas les plus forts, cette crainte nous serait funeste. On ne redoute pas un homme qui vous tend la main, on se met en garde contre celui qui se cache.

—Je veux bien admettre la justesse de ton raisonnement, père. Néanmoins, qu'allons-nous faire? Nous ne pouvons demeurer ici jusqu'au retour des Uski. Qui sait même s'ils reviendront?

—Ils reviendront, sois-en sûr, mon fils.

—Pas avant qu'ils aient terminé leur chasse! fit Guillaume avec une teinte d'impatience.

—Peut-être, répondit le Groënlandais d'un air rêveur.

—Dressons alors notre tente.

—Oui. J'irai au koné pendant que tu prépareras un emplacement. Je rapporterai les peaux, les piquets et des provisions, afin que nous fassions chaudière lorsque les Uski arriveront.

Ils se trouvaient à un demi-mille environ de la baie où était mouillée la *Toutou-Mak*. Mais, de ce lieu, on ne la pouvait apercevoir, à cause de la grande élévation des falaises de glace qui bastionnaient la rade.

Triuniak s'étant éloigné, Dubreuil se mit à creuser des trous pour y ficher les pieux de leur tente.

Tout occupé à sa besogne, il ne vit pas venir un individu qui se glissait, en rampant, derrière les glaçons épars sur la côte, et avançait doucement, en prenant toutes les précautions possibles pour n'être pas découvert.

Parvenu, de la sorte, à une vingtaine de pas de Dubreuil, il allongea sa tête au-dessus d'un banc de neige, regarda le Français, comme pour s'assurer de l'identité de son homme, puis il s'agenouilla, essaya avec le doigt la corde de son arc, y mit une flèche et ajusta.

Une seconde de plus, c'en était fait de Guillaume.

Mais à ce moment il leva les yeux, et ses regards tombèrent droit sur l'ennemi.

Celui-ci en fut tellement surpris que sa main trembla, et le trait mortel, déviant du but, passa à quelques lignes du capitaine.

—Kougib! s'écria Dubreuil, se précipitant en trois bonds sur l'assassin.

L'Esquimau se sauva. Mais le Français avait le jarret solide, il attrapa son meurtrier, le saisit par le capuchon de sa jaquette. Un seul effort de Kougib mit en deux le vêtement, dont une partie resta entre les mains du capitaine, qui tomba à la renverse.

—Ah! scélérat, tu ne m'échapperas pas! proférait-il en se relevant lestement.

Mais le Groënlandais avait gagné du terrain.

Dubreuil n'aurait pas réussi à l'atteindre de nouveau; il eut recours à son arc, qu'il portait sur le dos au moment de l'attaque. Il avait l'oeil aussi sûr que le poignet. Sa flèche frappa Kougib entre les épaules.

La douleur arracha un cri au sauvage.

Cependant, il continua sa course. Mais le sang coulait abondamment de sa blessure. Ses forces diminuaient. Bientôt le frisson circula dans ses veines; ses jambes chancelaient. Il s'arrêta, tourna la tête. Innuit-Ili fondait sur lui.

Kougib pensa que sa dernière heure était proche; mais il avait encore assez de vigueur pour vendre chèrement son existence, sinon pour perpétrer enfin l'horrible vengeance qu'il méditait depuis la mort de Pumè.

Se laissant choir sur le dos, comme s'il était épuisé, sous lui il cacha une flèche, et repoussa son carquois et son arc, afin d'ôter toute méfiance à son adversaire.

Cette perfidie fut déjouée.

Dubreuil avait trop appris à le connaître pour ne pas rester sur ses gardes.

Certain de tenir l'Indien en son pouvoir, il recula à deux pas, et le menaçant de sa lance:

—Misérable! lui cria-t-il, voilà trois fois que tu attentes à mes jours! La première, je t'avais pardonné, mais aujourd'hui tu expieras tes forfaits.

Une grimace railleuse contracta les traits du sauvage.

—Ris encore, car c'est ton dernier rire.... Cependant, ajouta-t-il en se reprenant, je me laisserai aller à la pitié, car je te méprise plus que je ne te crains, mais à une condition: tu me diras ce que tu as fait de la fille de Triuniak.

Kougib ne répondit pas. Le corps immobile comme une statue, mais le visage étincelant d'animation, il narguait le capitaine.

—Veux-tu parler? commanda Dubreuil, en brandissant sa lance.

—L'Uski, dit-il froidement, se moque d'Innuit-Ili. C'est un fils de louve blanche.

—Où est Toutou-Mak? reprit Dubreuil, peu sensible à cette injure.

—Kougib le sait.

—Et Kougib me le dira!

—Kougib est libre d'ouvrir ses lèvres ou de les fermer, répliqua l'Indien avec hauteur.

—Si tu refuses, je te tuerai comme un chien.

—Je suis entre tes mains; tue-moi, si tu le veux.

Cette audace, ce dédain de la mort émerveillèrent le capitaine Dubreuil. L'intimidation n'ayant pas de prise sur l'Esquimau, il recourut à la douceur, car il lui importait bien plus de connaître le sort de Toutou-Mak que de se constituer le bourreau de cette brute superstitieuse. C'était là où l'attendait Kougib.

—Non, dit le capitaine, non je ne te ferai point de mal; je panserai même ta blessure, si tu consens à répondre un mot, un seul! La fille de Triuniak vit-elle?

—Ah! fit le Groënlandais du fond de sa gorge, comme s'il allait expirer, ah! je meurs... soulève-moi, mon frère... soulève...

Ses paupières se fermaient, sa bouche frissonnait, ses membres grelottaient.

Dubreuil tomba dans le piège. Croyant que Kougib était sous l'empire du froid qui précède le trépas, il oublia ses ressentiments, sa prudence habituelle, et se pencha vers lui pour le mettre sur son séant.

L'Indien guettait ce moment, comme le carcajou guette sa proie.

D'un élan il fut sur pied, sa flèche serrée dans la main droite; d'un autre, l'arme fut plantée sur la poitrine du Français. Mais celui-ci avait amorti le coup en le parant avec son bras. Le dard glissa sur les côtes, et Dubreuil, étreignant le sauvage par la taille, le renversa à terre.

Un moment ils roulèrent comme deux serpents entrelacés.

Baignés de sang, la respiration haletante, se martelant des mains, des pieds, de la tête, ils luttèrent pendant plus de cinq minutes, sans que la victoire parût tourner d'un côté plutôt que d'un autre. Si le capitaine était plus robuste le Groënlandais était plus agile; si le premier était moins grièvement blessé, l'autre avait l'habitude de ces combat corps à corps, et peut-être aurait-il fini par triompher de son antagoniste; mais une idée le préoccupait: c'était de retirer de sa botte un couteau placé dans une gaine cousue à la tige, suivant la coutume esquimaue.

Cette pensée le perdit: car, ayant dégagé une de ses mains, il n'eut plus la force de contenir avec l'autre Dubreuil, qui le coucha sous lui, et, d'un foudroyant coup de poing en plein visage, lui fit perdre connaissance.

Aussitôt, le capitaine lia les pieds de l'Indien avec la corde de l'un des arcs, puis il retourna son corps inerte, et avec la corde de l'autre arc lui attacha solidement les poignets derrière le dos.

Après cette double opération, Dubreuil ouvrit sa pelisse examina sa blessure.

Elle était sans gravité.

Laissant Kougib, toujours insensible, derrière le monticule de glace et de neige fondante où cette scène s'était passée, il reprit le chemin du campement, dont il était à une distance assez grande.

A son arrivée, il trouva Triuniak inquiet de son absence et qui le cherchait aux environs.

—Kougib! lui cria-t-il de loin.

—Kougib!! Que veux-tu dire, Innuit-Ili?

—Kougib est ici... Je l'ai vu!

—Ah! mon fils, dis-tu vrai? Où est-il? répliqua Triuniak, avec une agitation qui devait être intérieurement bien puissante, puisqu'elle s'exprimait dans tout son maintien.

—Il est là, à demi-mort, fit Dubreuil en indiquant la direction du théâtre du drame.

—Mais, Toutou-Mak? fut-il demandé d'une voix altérée.

—Nous saurons ce qu'elle est devenue.

—Il ne l'a point tuée!

—J'espère que non.

—Oh! s'écria le Groënlandais, pleurant de joie, remercie ton Dieu pour moi, Innuit-Ili, remercie-le bien et dis-lui que Triuniak a le coeur bon, qu'il lui fera tous les présents...

—Viens vite! viens vite, mon père! Allons chercher Kougib. Nous le traînerons ici. C'est lui qui nous apprendra où est Toutou-Mak, et, ajouta-t-il d'un ton sombre, s'il refuse de parler, je me charge de l'y contraindre.

—Courons, courons! mais qu'auparavant je t'embrasse! dit Triuniak, en proie à une émotion inexprimable.

Et il se jeta dans les bras du jeune homme.

De pareilles effusions sont si contraires à la réserve habituelle des Esquimaux, que, peu après, Triuniak en rougit comme d'une action mauvaise.

—Il faut me pardonner, mon fils, dit-il à Dubreuil, qui ne songeait, certes, guère à lui en vouloir, il faut me pardonner, car j'aime tant ma fille... ma belle Toutou-Mak:

—Je te pardonne de si grand coeur que, si nous avions le temps, je te prierais de recommencer, père, répondit le capitaine en souriant.

Accélérant le pas, ils furent bientôt transportés sur la lieu du combat.

Mais, à leur profond mécompte, ils ne trouvèrent que des traces de sang et des débris de cordes, le corps de Kougib n'y était plus.

X

CAPTIF

L'évanouissement de l'Esquimau n'avait été que momentané.

Bien vite il reprit ses sens. Ne voyant plus son adversaire, Kougib essaya de se lever. Ses liens l'en empêchèrent. Il se mit sur son séant, il regarda autour de lui. Il était seul. Le Groënlandais porta les yeux sur ses bottes; un sourire de satisfaction éclaira son visage tout meurtri. Il avait aperçu son couteau. Dès lors, sa délivrance n'était plus une question.

Kougib se plie en deux, saisit le couteau avec ses dents et tranche aisément les légères cordes qui lui attachent les pieds. Restaient les mains, mais l'Esquimau était libre de marcher, de courir; c'était le principal.

Le voici debout, conservant toujours son couteau entre les dents. Grande est sa faiblesse. Cependant, il fait un pas, deux, il peut se soutenir, se traîner: une poignée de neige rafraîchit sa bouche brûlante. Il s'éloigne tout à fait du lieu où il a failli perdre la vie, et chemine péniblement jusqu'à un village, à cinq ou six milles dans l'intérieur des terres.

Là, Kougib s'arrêta, s'assit sur un tronc d'arbre, le visage penché sur la poitrine, et se mit à pousser des hurlements. Une troupe d'hommes, de femmes et d'enfants ne tarda pas à se former autour de lui. Tous étaient extraordinairement étonnés de l'état dans lequel ils le voyaient,—couvert de sang, et les mains attachées derrière le dos.

Longtemps il conserva la position qu'il avait choisie en arrivant, sans faire autre chose que de jeter, à des intervalles réguliers, un cri lamentable. La consternation se peignait sur toutes les physionomies.

Enfin, dans l'après-midi, rentra au village une troupe de gens armés, qui portaient sur leurs épaules les dépouilles de deux ours blancs. C'étaient les chasseurs que nos aventuriers avaient aperçus le matin sur la côte. Ils firent halte devant le blessé, s'informant avec intérêt de ce qui était advenu.

Kougib semblait n'avoir attendu que ce moment pour éclater, car il se releva lentement, se tourna vers le couchant et dit d'une voix courroucée:

—Les Uski du soleil levant ne sentent-ils plus le sang couler dans leurs veines? Est-ce que leur coeur s'est glacé, cet hiver, comme l'onde de nos lacs? Eux qui se montraient si fiers d'une victoire remportée sur les Indiens-Rouges, eux qui avaient si justement des mots de mépris pour les Yak [18], restés comme des lâches dans les régions maudites du nord, tandis que les contrées méridionales sont si belles et si giboyeuses; eux qui se vantaient de l'excellence de leurs armes, veulent-ils passer maintenant pour des lièvres timides? se laisseront-ils insulter, dépouiller? verront ils froidement violer leurs filles, souiller leurs femmes et disparaître l'abondance de leurs forêts et de leurs rivières? Ne se souviennent-ils donc plus des paroles de Kougib, quand le puissant Torngarsuk leur a accordé la faveur de le transporter du ciel sur cette côte! Faut-il les leur rappeler ces paroles? Quoi! ils me verront lié, et ils ne briseront pas mes liens! Quoi! je suis blessé, et ils ne panseront pas mes blessures! Quoi! je souffre pour eux, et ils ne me demandent pas d'où vient ma souffrance! Quoi! c'est un sorcier blanc qui voulait les accabler de ses maléfices, et ils sont là, muets, inertes, ils ne songent pas à me venger, moi leur angekkok-poglit, le pontife de Torngarsuk! Ne suis-je pas venu chez eux pour les sauver de la famine, pour leur donner le triomphe sur leurs ennemis? Eh! ne savent-ils pas que, si je le voulais, ces liens je les romprais; que ces blessures je les guérirais, par ma seule volonté. Mais il m'a plu d'éprouver les Uski, il m'a plu de leur laisser l'honneur d'immoler l'enchanteur blanc. Leur courage sera-t-il au-dessous de l'idée que je m'en suis faite! Non, non, les Uski méridionaux sont braves et puissants; ils se chargeront d'exécuter les desseins de Torngarsuk; ils amèneront ici celui que j'ai désigné à leurs coups pour le faire périr dans le feu. Armez-vous frères, courez à la mer, et emparez-vous du magicien blanc. Nous l'immolerons le jour de la grande fête du Soleil.

[Note 18: Les Esquimaux du nord-est sont ainsi nommés par mépris.]

En achevant ce discours, Kougib, afin de montrer son pouvoir, fit sauter la corde qui lui serrait les poignets opération assez facile pour un homme d'une certaine vigueur.

La foule n'en témoigna pas moins son admiration par un cri équivalent à «miracle! miracle!» La foi au surnaturel existe, chaude, fanatique, en tous lieux, et l'on sait que la foi est aveugle.

Leurs esprits étant bien disposés, il ne s'agissait plus que de diriger les Esquimaux sur ce magicien blanc.

—Ou est-il? où est-il? nous le ramènerons, sois-en sûr Kougib, disait-on de toutes parts. Oui, nous le lapiderons, nous le brûlerons à petit feu...

A ces protestations de dévouement, l'angekkok ne répondit pas. Son but était atteint; il se retira dans une cabane, qu'il occupait à l'autre extrémité du village. Mais les deux chasseurs, qui avaient causé avec Triuniak, donnèrent les indications nécessaires.

Aussitôt on s'arma, et une cinquantaine d'hommes furieux partirent pour attaquer les infortunés navigateurs.

Ceux-ci étaient retournés à leur navire et y délibéraient sur le parti à prendre. Le bouillant capitaine voulait qu'on marchât sur-le-champ à la recherche de Kougib. Mais Triuniak, plus circonspect, pensait qu'il fallait attendre le retour des chasseurs. D'après son opinion, ils ne manqueraient pas de venir les visiter dans la journée. On leur ferait des présents, et, en les sondant adroitement, on apprendrait sans doute tout ce qu'il importait de savoir.

—Vois-tu, mon fils, dit le Groënlandais en terminant, si nous poursuivons ce scélérat, il est capable de tuer la pauvre Toutou-Mak ou de la faire disparaître encore une fois; tandis que, ne nous apercevant plus, sa méfiance aura moins sujet de s'alarmer. Nous nous concilierons les Uski, et ils nous aideront dans notre entreprise.

Ce raisonnement avait sa valeur. Dubreuil s'y rendit, malgré l'impatience qui le dévorait.

Pour tromper le temps, il arrima de nouveau la cargaison de leur vaisseau et répara ses armes.

Au moment où le soleil allait se coucher, nos hommes n'avaient rien vu paraître. Le capitaine, en proie à une vive irritation, se promenait fiévreusement dans son navire, et Triuniak, accroupi sur le pont, contemplait le déclin de l'astre du jour, avec cet air mélancolique et rêveur particulier aux peuplades qui passent dans la solitude une partie de leur existence.

Tout à coup, ce dernier se dressa à demi et tendit l'oreille.

—Qu'y a-t-il, mon père? demanda Dubreuil.

—Écoute!

—Je n'entends que le grondement des flots, qui se brisent contre le rivage.

Et moi, j'entends des voix d'hommes, dit le Groënlandais, en se levant tout à fait.

—Seraient-ce enfin les chasseurs?

—Mon fils, ce ne sont point lus chasseurs. Les voix que j'entends sont plus nombreuses.

—Je t'avoue que je ne perçois rien que les bruits de la mer.

—Regarde maintenant au sommet de la côte.

Les yeux du capitaine se portèrent vers le faîte de la falaise qui bordait la baie, et il découvrit une troupe d'hommes considérable.

—Pourvu, murmura-t-il, qu'ils ne soient pas animés d'intentions hostiles. Nous serions perdus, car les glaces se sont accumulées autour de notre bâtiment, et toute retraite nous est coupée.

—Innuit-Ili, dit Triuniak d'un ton grave, il faut apprêter tes armes, mon fils.

—Pourquoi ce conseil? As-tu quelques craintes, père?

—Oui, car les Uski sont en expédition guerrière. Je me rappelle bien leurs usages dans ces occasions. Vois, comme ils brandissent leurs lances, comme ils agitent ces larges boucliers qu'ils ont inventés pour s'abriter contre les flèches empoisonnées des Indiens-Rouges. Pourquoi viennent-ils en si grande foule? Il sont deux hommes et demi.[19]

[Note 19: L'arithmétique des Groënlandais est très-bornée. S'il est vrai qu'ils peuvent compter jusqu'à vingt par le nombre des doigts de leurs mains et de leurs pieds, leur langue n'a point de terme pour exprimer les nombres au-delà de cinq. Quand donc ils veulent calculer jusqu'à vingt, ils répètent quatre fois cette nomenclature. Comme chaque homme a vingt doigts, ils disent cinq hommes pour exprimer le nombre cent, deux hommes pour quarante, deux hommes et demi pour cinquante, etc.]

—Oui, une cinquantaine environ, fit Dubreuil en lui-même.

—Entends-tu maintenant leur cri de guerre, emprunté aux Indiens-Rouges? continua Triuniak.

En effet, des clameurs déchiraient l'air, et l'écho des glaciers les répercutait avec des vibrations assourdissantes.

—Hou-hou-hou-houp! vociféraient les Esquimaux, de toute la force de leurs poumons en se précipitant confusément sur la grève.

Là, ils remarquèrent qu'ils n'avaient point, de canots et qu'une distance de plusieurs portées du flèches les séparait du navire. Ils tinrent conseil. Pendant la consultation, Dubreuil et Triuniak apportèrent sur les deux ponts toutes les flèches, toutes les lances et tous les harpons dont ils pouvaient disposer.

Le Groënlandais avait eu, un instant, le dessein de se rendre sans coup férir, mais Guillaume s'y refusa net.

—Plutôt mourir cent fois, dit-il hardiment, que de se livrer à la merci de cette horde de coquins, commandés probablement par Kougib, qui les aura ameutés contre nous. Ah! j'ai été un sot de ne pas l'achever, quand je le tenais entre mes mains. Triuniak, si tu désires me quitter, il en est temps encore. Mais moi je me défendrai jusqu'à mon dernier soupir.

—Te quitter, mon fils! répondit l'Uski indigné; imagines-tu que j'abandonnerai jamais un ami dans le danger? Mais pourrons-nous résister à cette bande? Elle nous écrasera!

—Nous ne succomberons pas sans lui avoir laissé des gages mortels de notre valeur! répondit le capitaine d'un ton fier. Ah! ajouta-t-il à mi-voix, si j'avais seulement une arquebuse, je me moquerais d'une centaine de ces gredins...

—Si nous leur faisions des signes de paix? objecta encore le Groënlandais.

—Cela ne servirait de rien. N'est-il pas évident, Triuniak, qu'ils en veulent à notre vie? Tiens, ils se sont jetés à l'eau et nagent vers nous. Tout à l'heure, ils se hisseront sur ce glaçon qui touche notre bâtiment et tenteront d'en escalader les bords.

—Ce u'est pas encore fait, mon fils! s'écria l'Indien.

—Comment s'y opposer?

—Suis mon exemple.

Il prit, en même temps, une forte lance, en appuya un bout sur le glaçon, et, pressant sur l'autre extrémité, parvint à repousser le vaisseau à cinq ou six pieds, dans l'eau libre.

La *Toutou-Mak* se trouvait ainsi entourée d'une sorte de fossé naturel qui augmentait les difficultés de l'approche.

—Je veux, reprit Triuniak, ne rien tenter contre ces gens, avant d'être bien certain qu'ils sont nos ennemis.

Dubreuil haussa les épaules.

Fichant alors un morceau de phoque à la pointe de sa lance, le Groënlandais l'éleva devant les Esquimaux, qui n'étaient plus guère qu'à une encablure du bâtiment.

Le plus avancé mettait le pied sur le glaçon. A cette proposition de faire chaudière, c'est-à-dire de venir banqueter en bons amis, il répondit en lançant une flèche à Triuniak.

L'arme retomba à cinquante pas du but. Mais ce fut le signal du combat. Tour à tour les Esquimaux abordèrent le glaçon, en lâchant des hurlements affreux, et, pêle-mêle, ils coururent à la goélette.

—Mon fils, dit froidement alors le Groënlandais, nous pouvons commencer. Tuons! tuons! car, quand nous serons pris, il n'y aura pas de pitié pour nous. Mais, avant tout, cache un couteau dans ton capuchon.

—Qu'en ferai-je?

—J'ai été à la guerre, mon fils, à la guerre contre les Indiens-Rouges, répliqua Triuniak avec orgueil; je connais les ruses du métier. Un couteau trouve toujours son emploi. Si nous sommes faits prisonniers, tu t'applaudiras peut-être d'avoir obéi à ma recommandation.

—J'admire déjà ta prudence, père, répondit Dubreuil en souriant, et il jeta dans le capuce de sa casaque un petit couteau d'ivoire enfermé dans une gaine.

—Attrape, chien! cria Triuniak.

Et une flèche, décochée par son arc, coucha sur la glace l'Esquimau qui précédait la bande.

Une grêle de dards s'abattit à l'instant autour du navire. Par bonheur, aucun n'atteignit les aventuriers. Ils ripostèrent, et deux des assaillants furent renversés.

—Gare à toi, mon fils! fit Triuniak, en repoussant vivement Dubreuil, menacé par un trait qui siffla à ses oreilles.

—A mort, le magicien blanc! à mort! beuglaient les sauvages, dont les coups semblaient être dirigés particulièrement contre lui.

Debout sur la proue, son arc à la main, il les bravait sans sourciller, et chacune de ses flèches portait le désordre dans leur bande.

—Ne reste pas là, Innuit-Ili, lui dit Triuniak; tu offres trop de visée à ces louveteaux; descends plutôt entre les ponts.

—Non! non! je suis bien ici. Mais attention, père! en voici un qui arrive sur toi.

—Je le guette, sois tranquille, répondit le Groënlandais.

Puis, il se baissa, ramassa une hache de silex, et trancha en deux la main d'un Esquimau qui cherchait à se cramponner au bordage.

Le malheureux lâcha prise en hurlant et tâcha de remonter sur le glaçon. Mais, personne ne lui venant en aide, chacun étant occupé ailleurs, il finit par s'épuiser et se noyer.

La lutte continuait avec acharnement, au milieu des cris et de l'obscurité naissante.

—Ah! sans la nuit, nous aurions beau jeu de ces bandits, disait le capitaine, en perçant de sa lance le corps d'un autre Esquimau qui tentait l'abordage.

—Au contraire, répondit Triuniak; au contraire, car la nuit leur fait peur. Ils ne combattent jamais dans les ténèbres. Que nous puissions tenir jusqu'à ce que l'obscurité soit complète...

—Ah!... je suis mort, père! exclama douloureusement Dubreuil, en roulant aux pieds de son brave compagnon.

Il avait été frappé à la tête par la massue d'un Uskimé qui avait réussi à nager inaperçu jusque sous l'éperon du vaisseau, d'où il s'était élancé soudainement sur le pont.

—Oh! mon fils! je te vengerai! proféra Triuniak avec un accent terrible.

Puis, il bondit sur l'agresseur, et lui fendit le crâne d'un coup de sa hache.

—A mort! à mort! acclamaient les Esquimaux, se pressant en foule à l'abordage.

—Oui, à mort! à mort! je vengerai mon fils, Innuit-Ili! leur cria le Groënlandais, en sautant dans la mer où il disparut, sans que les efforts que firent ensuite les vainqueurs pour le retrouver aboutissent à un succès.

Ils saluèrent leur triomphe par la plus exécrable débauche de gosier qui se puisse imaginer. Ensuite, les uns se répandirent sur le vaisseau pour le piller, d'autres entourèrent le corps de Dubreuil, sans oser le toucher, dans la crainte qu'il ne leur jetât un sort.

Le capitaine n'avait été qu'étourdi, malgré une large blessure à la tête. Il reprit connaissance. Ses ennemis l'avaient cru mort. Ils se réjouirent grandement de sa résurrection, que quelques-uns attribuèrent à un miracle. Pour qu'il ne leur échappât point, ils le garrottèrent solidement, et l'expédièrent aussitôt à leur angekkok-poglit, sous la garde d'une demi-douzaine d'entre eux.

Les autres achevèrent de saccager le vaisseau, auquel ils mirent le feu, quand ils l'eurent complètement dépouillé.

Dubreuil, qui avait été mené au rivage sur l'ommiah, était à peine au-dessus de la côte, lorsque l'incendie éclata, embrasant de lueurs rouges les ombres du crépuscule, à travers des tourbillons de fumée blanchâtre.

Pénétré d'une amère tristesse, le capitaine se retourna, et de grosses larmes s'amassèrent sous ses paupières, à la vue de l'inflexible fléau, qui consumait ce navire auquel il avait travaillé avec tant d'ardeur, et auquel il avait confié ses plus vives, ses dernières espérances. Il lui sembla que c'était une partie de lui-même, un ami qu'on lui enlevait, qu'on torturait par la flamme. C'est ainsi qu'en raison de ce qu'elles nous ont coûté, de ce que nous attendons d'elles, nous attachons souvent aux choses le même prix qu'aux êtres animés.

Une brutale gourmade d'un de ses conducteurs le força à reprendre sa marche.

—Ha! ha! ricana le sauvage, si tu aimes le feu, fils de Hafgufé[20], nous te régalerons bientôt.

[Note 20: Sorte de démon très-redouté des Esquimaux.]

—*Ap, ap* (oui, oui), on te fera rôtir, grand magicien, appuyèrent les autres, en battant cruellement le pauvre captif.

Dubreuil dédaigna de répondre à ces violences; bien plutôt il songeait à s'évader. Ses mains étaient liées l'une contre l'autre, mais à ses pieds pas d'entraves. La nuit tombait. On approchait d'un bois de pins paraissant assez fourré. Que risquait-il de faire une tentative? Elle pouvait réussir, et, s'il échouait, son sort n'empirerait pas.

Le projet arrêté, Guillaume attendit un moment favorable. Quatre Esquimaux allaient devant lui, les deux autres derrière. En entrant dans le bois, comme la piste se rétrécissait, ils se mirent en file.

Sous prétexte qu'il souffrait, le capitaine ralentit le pas, mais d'une façon assez insensible pour ne point soulever les soupçons de ses gardiens. Peu à peu, les premiers prirent quelque avance, pendant que les derniers ralentissaient aussi leur allure, tout en excitant, par des invectives et des bourrades, leur prisonnier à marcher plus vite. Une certaine distance s'était progressivement ainsi établie entre les deux groupes.

Tout à coup, Dubreuil simule une chute, se retourne, et, en se relevant, donne tête basse dans les jambes de l'Esquimau le plus rapproché. Celui-ci tombe; l'autre, à qui l'obscurité ne permet pas de voir, le heurte, tombe à son tour, et Dubreuil file, comme une flèche, dans la forêt. Il ne sait où il va, mais il fuit, il vole avec toute la rapidité possible, sans se préoccuper des branchages qui labourent son front, des épines qui déchirent son corps. Ah! qu'il se sent de vigueur eu ce moment! Qu'il déjouerait aisément tous les efforts de ses ennemis pour le rattraper, s'il avait l'usage de ses mains! Sa course est embarrassée, il trébuche à chaque minute; cent obstacles insignifiants pour un homme qui jouit de la faculté de tous ses membres, mais considérables dans sa position, cent obstacles retardent sa course.

On le poursuit chaudement, on crie, on s'appelle, on entasse les imprécations sur les imprécations, on le presse comme une bête fauve. Le bois retentit, de sons humains, auxquels se mêle le glapissement des animaux sauvages troublés dans leur retraite.

Afin de donner le change aux sauvages, Dubreuil va d'un côté, d'un autre, rebrousse un instant, pour reprendre une direction nouvelle, il descend un vallon, franchit une colline, contourne une éclaircie, escalade une pointe de rocher, plonge dans une gorge et s'arrête à la fin, meurtri, lacéré, essoufflé, pour respirer, pour écouter.

D'abord, il n'entend que les battements précipités de son coeur: puis, son oreille attentive saisit des bruits, mais ils s'affaiblissent, ils s'éloignent. Guillaume pourra donc se reposer, son oeil sonde les ténèbres. Il cherche un endroit convenable et dérobé pour s'asseoir, lorsque les feuilles sèches crient sous un pied léger, mais rapide. Le capitaine veut partir, recommencer la fuite. Impossible, ses jambes flageolent sous lui. Il est tout entier baigné d'une sueur froide. Un nuage passe sur ses yeux. Il s'affaisse, incapable de faire un mouvement.

—Est-ce toi, mon fils? demande bas une voix près de lui.

—Triuniak! balbutie le jeune homme surpris et d'un ton altéré.

—Chut! ne parle pas si haut.

—Comment es-tu venu ici?

—Nous causerons de cela plus tard. A présent, il faut se donner des ailes.

—Ah! je n'en ai plus la force.

—Si tu n'en as plus la force, je te porterai. Mais ne restons pas davantage ici.

—Où aller?

—Tu as les mains attachées, mon fils. Attends que je te délivre, reprit Triuniak en coupant les lanières de peau de phoque avec lesquelles les Esquimaux avaient garrotte Dubreuil.

—Merci! fit celui-ci.

—Allons, essaie de te soulever, appuie-toi sur moi; et, s'il est nécessaire, monte sur mon dos.

—Ah! malédiction! répliqua le capitaine, j'ai les bras et les jambes paralysés. Pars, Triuniak, laisse-moi! Si ma destinée est de mourir, je mourrai. Mais toi, pense à Toutou-Mak, ta fille bien-aimée. Vis pour elle, c'est ton devoir.

—Je t'ai dit que je ne te délaisserais jamais!

—Tiens! entends-tu? ils se rapprochent. Sauve-toi, mon père; je t'en conjure...

—Non, dit vivement le Groënlandais, en chargeant Dubreuil sur son épaule.

XI

LA FÊTE DU SOLEIL

Dubreuil et Triuniak se trouvaient alors dans une sorte de clairière, au fond d'un étroit vallon, faiblement éclairée par la lumière sidérale. Des pins, des genévriers, mêlés de bouleaux et de quelques chênes rabougris, enseignaient cette éclaircie, que traversait un ruisseau, produit sans doute par la fonte des neiges. On l'entendait sourdre sur les rochers, dans les hauteurs voisines.

—Père, dit le capitaine à son ami, quand ils furent arrivés au bord, laisse-moi boire. Peut-être l'apaisement de ma soif me rendra-t-il quelque force.

—Bois, mon fils, mais hâte-toi, car l'ennemi est sur nos talons.

Disant ces mots, Triuniak déposait le jeune homme sur la rive du petit cours d'eau.

Telle était, cependant, la prostration physique de

Guillaume, que Triuniak dut l'aider à rafraîchir ses lèvres brûlantes.

—Ah! je me sens mieux! fit Dubreuil.

—Peux-tu marcher?

—Non, père, mais restons ici. Il me semble que le bruit des Uskimé a cessé.

—C'est-à-dire qu'il est dominé par celui du ruisseau. Non, il ne faut pas demeurer ici. L'endroit est fréquenté. Je distingue sur la neige des traces de pas. Nos poursuivants ne manqueront pas de venir se désaltérer à cette onde. Allons, en route!

Il le remit sur son dos, franchit le ruisseau et s'enfonça de nouveau dans le bois. Le sol montait. Des fragments de rochers et des glaçons épars sur la pente rendaient l'ascension difficile. Au bout d'un quart d'heure, le Groënlandais fat obligé de faire une halte.

—Je te fatigue trop, père, dit Dubreuil. Laisse-moi maintenant. Et, s'il y a encore du danger, va-t'en. Tu as fait pour ton fils tout et plus que tu ne devais faire.

—Innuit-Ili, je ne te quitterai point. Nous camperons ici jusqu'au jour, et Triuniak veillera sur loi.

—Tu ne veux donc pas m'écouter? tu ne penses donc plus à ta fille qui aura besoin de tes services?

—Je pense à mon fils que je tiens, que je possède, avant de penser à ma fille dont j'ignore la destinée, répondit l'Indien.

—Ah! tu es pour moi le meilleur des pères! Comment pourrai-je jamais m'acquitter de toutes les obligations...

—Je te l'ai dit, tu m'apprendras à connaître et à honorer le Dieu de ta race, Innuit-Ili, répliqua Triuniak en l'étendant doucement sur un tapis de gazon.

Accablé par la fatigue et la perte de son sang, le capitaine Dubreuil s'endormit aussitôt, sous la garde vigilante de son libérateur, qui, assis près de lui, les coudes appuyés sur tes genoux, la tête dans les mains, passa la plus grande partie de la nuit l'oreille aux aguets.

Un peu avant le point du jour, le Groënlandais éveilla Dubreuil.

—Mon fis se sent-il moins affaibli?

—Oui, dit Guillaume, en se levant et en essayant de faire jouer ses membres engourdis.

—Eh bien, attends-moi en ce lieu.

—Où vas-tu, père?

—Je serai de retour avant que le soleil soit sur l'horizon, répliqua Triuniak, en descendant vers le vallon.

Parvenu à l'orée de la clairière, il s'arrêta, écouta et examina les environs à la faveur de l'aube naissante. Ne découvrant personne, il tailla dans les pans de sa casaque quelques fines lanières, en fit de menues cordes, et les disposa en collets, qu'il alla tendre le long du ruisseau. Puis il rentra sous bois et se tint à l'affût.

La nature s'animait. La brise frémissait harmonieusement à la cime des arbres, les oiseaux printaniers commençaient leur chant matinal, et de fréquents frôlements dans le feuillage annonçaient que le gibier revenait de son viandis. Des lièvres, des lapins, des marmottes et jusqu'à de beaux caribous passaient et repassaient, à chaque instant, sous les yeux de Triuniak, jouaient insolemment sur l'herbe, sautaient et ressautaient le ruisseau et paraissaient se moquer, à qui mieux mieux, de ses piéges. Impatienté par leur nargue, il allaita la fin se précipiter, le couteau à la main, sur deux magnifiques élans eu train de s'ébattre sur la pelouse, quand un chevrillard, dont ils étaient accompagnés, dévala en gambadant la rive du ruisseau et se prit par le cou dans un des engins. La pauvre bête poussa un cri plaintif et chercha à se débarrasser du fatal collet.

Mais déjà Triuniak s'était jeté sur elle, au grand émoi de toute la bande des fauves, et l'avait étranglée.

Il releva ses collets, mil sa proie sous le bras et retourna vivement vers le capitaine, en effaçant soigneusement sur son chemin les empreintes de ses pieds.

Là, il trancha la veine jugulaire du chevrillard et dit à son ami, en approchant l'animal de sa bouche:

—Bois, mon fils, ce sang chaud te rendra tes forces.

Guillaume connaissait par expérience l'efficacité de ce traitement, fort usité chez toutes les peuplades incivilisées de l'Amérique septentrionale et que, depuis, les trappeurs blancs ont si bien adopté. Il s'abreuva largement à cette source restauratrice. Quand il eut fini, Triuniak appliqua, à son tour, les lèvres à la blessure de l'animal et se gorgea de sang avec la plus grande satisfaction.

Le soleil levant éclairait maintenant le paysage. C'était une succession de montagnes arides, parsemées d'arbres brouis, de petite taille, sur leurs rampes inférieures, et couronnées par des roches gigantesques.

Il n'y avait rien là pour égayer l'esprit. Tout, au contraire, contribuait à l'attrister.

—Qu'allons-nous faire? murmura Dubreuil, promenant un regard mélancolique sur ces crêtes pelées, qui ne pouvaient servir que de repaires aux ours et aux animaux féroces. Qu'allons-nous faire? Sans armes, sans provisions, saurons-nous longtemps échapper à nos ennemis?

—Mon fils, dit froidement Triuniak, le désespoir est d'un coeur mou. Je croyais le tien ferme comme le marbre. Me serais-je trompé? Allons, debout! et gagnons le faîte de ce pic. Là-haut, nous trouverons quelque caverne et nous tiendrons conseil.

—Tu as raison, père, s'écria Dubreuil, je ne suis pas une femme pour pleurer. Marche, je te suivrai.

—Donne-moi la main, car le terrain est glissant... Ah! j'aperçois, il me semble, ce que nous cherchons.

—Où ça?

—Tes yeux ne sont pas assez perçants, mon fils, tu ne verrais pas. Mais nous y serons bientôt.

Après ces mots, ils gravirent pendant près d'une demi-heure en silence et atteignirent un étroit plateau, au pied d'une masse de granit énorme. De ce point, on devait découvrir la campagne à une distance considérable. Mais un épais brouillard, qui s'était élevé, empêchait alors de distinguer au-delà des bords de la plate-forme.

—Voilà une brume fort utile, mon fils, dit Triuniak, en pénétrant dans une caverne creusée dans les entrailles du rocher. Assieds-toi. Je vais ramasser du bois, j'allumerai un feu, qui ne sera pas découvert, grâce au brouillard, nous cuirons notre chevreuil et causerons en sécurité de nos affaires.

Et l'Esquimau sortit pour faire une provision de rameaux secs.

Durant son absence, Dubreuil examina la caverne. C'était une voûte assez élevée, mais sans profondeur. Elle ne pouvait leur offrir qu'un asile temporaire. Cependant, la densité des vapeurs qui flottaient à l'extérieur permettait d'espérer qu'ils y seraient pour le moment, à l'abri des investigations de leurs ennemis.

Guillaume dépeça la pièce de gibier, prépara un foyer, et Triuniak étant de retour, une flamme pétillante jaillit bientôt dans la grotte, réfléchissant des lueurs de rubis sur ses parois tapissées de cristaux et de stalactites aux formes bizarres.

Tandis que, passé à une brochette de bois, le train de derrière du chevreuil rôtissait, en grésillant et répandant d'appétissants parfums, le capitaine interrogeait son ami.

—Quelle a été l'issue du combat? Comment as-tu pu échapper? Je ne me rappelle rien, à partir de ce coup qui m'a renversé sur le pont. Voyons, parle, mon père.

—J'ai cru que mon fils était mort, répondit le Groënlandais.

—Oh! je croyais bien aussi ne jamais revoir la lumière du jour.

—Alors, poursuivit Triuniak, voyant qu'une plus longue résistance serait infructueuse, j'ai pris le parti de me sauver, non par amour de la vie, mais pour te venger... et aussi me venger de Kougib.

—Oh! exclama Dubreuil, puisse-t-il tomber entre mes mains!

—Je sautai à l'eau, reprit l'Indien, et plongeai sous un glaçon qui s'étendait, tu dois t'en souvenir, entre notre konè et le rivage, du côté opposé à celui par où les Yaks nous assaillaient.

—Oui, je comprends.

—Arrivé à l'autre bout de ce glaçon, je sortis ma tête de l'eau. Il était temps, car la respiration me manquait. Justement, la mer était là peu profonde. Je pris pied et me dirigeai à la côte, en me dissimulant autant que possible. La tombée de la nuit me protégeait. Sur le rivage, je me blottis derrière un banc de neige, prés de l'endroit où nous avions débarqué, le matin. La joie, mon fils, gonfla le coeur de ton père, quand il te reconnut vivant sur l'ommiah. Il suivit la bande qui te conduisait, en attendant une occasion favorable pour te faire connaître sa présence, et il allait attaquer tes gardiens quand tu t'es échappé.

—Je n'espérais guère réussir, et sans toi...

—Moi! je n'ai eu que la peine de te suivre, dit le bon Groënlandais en souriant. Mais ce n'était pas si facile, après tout, car tu courais plus vite qu'un renne, et je craignais de t'effrayer en marchant sur tes traces. Ah! sans la faiblesse qui t'a pris, peut-être ne t'aurais-je pas rejoint.

—A présent, dit Dubreuil en réfléchissant, songeons un peu à notre position future.

—Songeons plutôt à manger, répondit Triuniak, qui retirait la broche du feu.

Le morceau était à moitié cuit. Ils ne le dévorèrent pas moins avec avidité.

Lorsque leur modeste repas fut achevé, le Groënlandais reprit, en s'essuyant les doigts avec sa langue, en guise de serviette:

—Le brouillard se dissipe, je vais explorer le pays. Toi, mon fils, ne bouge pas de celle caverne et éteins le feu, dès que tu remarqueras que le temps s'éclaircit, car la fumée pourrait te trahir.

—Sois tranquille, répondit Dubreuil en s'allongeant sur le roc pour achever de reposer ses membres courbatus.

—Si tu avais besoin de moi, tu ferais entendre ce cri du faucon que je t'ai appris à imiter. En tout cas, que ton couteau soit à ta portée.

—Mais quel est ton dessein? fit Guillaume.

—Je ne puis rien dire encore. Les circonstances me décideront. Quand je vins ici, il y a quinze hivers, je me liai d'amitié avec un grand chef. J'essaierai de le retrouver. S'il existe, son affection pour moi prévaudra contre toutes les intrigues du misérable Kougib.

—Et s'il n'existait plus?

—Ne te tourmente pas, mon fils, tu me reverras avant le coucher du soleil, fit Triuniak sans répondre à la question du capitaine.

Réjoui à l'aspect de la flamme, qui tordait à la voûte de la grotte ses spirales capricieuses, et réconforté par le repas qu'il venait de faire, celui-ci céda peu à peu au doux empire de la digestion, et, sans plus penser à étouffer le brasier, se laissa bercer par une caressante somnolence dès que son compagnon eut quitté la caverne. Des songes charmants vinrent l'effleurer de leur aile diaphane: il avait retrouvé sa Toutou-Mak, non la sauvagesse du Groënland, mais une délicieuse Française, tendre, spirituelle, l'admiration de ses compatriotes, la joie et l'orgueil de son coeur. Pour eux le présent était ravissant: la Fortune, la Gloire se disputaient l'honneur de leur prodiguer leurs dons les plus précieux; la Félicité s'était assise à leur foyer, sous forme de deux petits anges roses et joufflus; l'avenir se déroulait en un sentier jonché de fleurs, ombragé d'arbres odoriférants; tout enfin souriait aux yeux enchantés des jeunes époux.

Ah! qu'il fait bon rêver, qu'il fait bon dormir! mais pourquoi si souvent au bord d'un abîme!

Ce feu qui avait réjoui Dubreuil, ce feu qui, par sa tiède chaleur, lui avait procuré des visions ravissantes, ce fut lui qui le perdit.

Pour avoir suspendu leur poursuite, les Esquimaux ne l'avaient pas abandonnée. L'eussent-ils osé? Kougib, furieux, quand ils revinrent conter leur mésaventure, Kougib déclara solennellement que, si le magicien blanc échappait, c'en était fait de la tribu entière: le gibier disparaissait des bois, le poisson des eaux; l'écorce même sécherait aux arbres; on serait réduit à mourir de faim.

Torngarsuk le lui avait annoncé. Torngarsuk ne mentait pas.

Effroyable prophétie, qui, le lendemain, matin, mettait sur pied et lançait dans les bois toute la population du village.

Les traces de l'homme blanc se retrouvèrent aisément jusqu'au lieu où il s'était affaissé la veille; mais là elles cessaient. Vainement les buissons, les broussailles furent-ils battus, les bords du ruisseau explorés, on ne découvrit aucun vestige, sinon les morceaux des cordes qui avaient servi à attacher Dubreuil.

Las de fureter en tous sens, les Esquimaux concluaient déjà, à leur inexprimable regret, que l'enchanteur avait disparu au moyen de quelque sortilège, quand, le voile humide qui couvrait la forêt s'étant déchiré, on distingua un filet de fumée au sommet des rochers.

Celui qui, le premier, l'avait aperçu, poussa une exclamation, aussitôt réprimée par un chef.

—Mon frère est-il fou? dit-il en lui posant la main sur la bouche. Croit-il que nous n'ayons point d'yeux et le sorcier point d'oreilles?

Puis il ordonna à la troupe de rester en place, prit deux hommes bien armés avec lui, et grimpa silencieusement vers la caverne.

Ils firent si peu de bruit et Dubreuil dormait si profondément, que notre aventurier fut entouré, saisi et lié avant d'avoir pu faire un mouvement pour se défendre.

Porté en triomphe au village, à travers les huées d'une foule barbare, il eut à subir les outrages les plus cruels.

Toujours et en tous lieux, plus excitables que les hommes, les femmes déployaient principalement leurs violentes passions contre le malheureux captif. Il n'échappa que difficilement aux griffes de ces mégères, qui le voulaient mettre en pièces.

On le déposa, tout sanglant, les vêtements en lambeaux, le corps meurtri, couvert d'immondices, dans la loge de l'angekkok-poglit Kougib. La vue de ce scélérat fit oublier à Dubreuil les souffrances qu'il endurait.

—Meurtrier, lui cria-t-il, je mourrai sans doute par tes mains, mais Triuniak me vengera!

—Kougib, répondit froidement le jongleur, couché sur son lit, Kougib ne craint pas plus Triuniak qu'Innuit-Ili. Tu es cause de la mort de Pumè...

—C'est un odieux mensonge!

L'angekkok-poglit se prit à rire.

—Toutou-Mak me l'a avoué! dit-il.

—Toutou-Mak! s'écria vivement Dubreuil.

—Oui, la fille de Triuniak, celle que tu aimais, n'est-ce pas? celle que tu as rendue criminelle, afin de l'épouser...

—Imposteur!

—L'imposteur et le meurtrier, c'est toi! répliqua Kougib d'un ton aigre.

—Oh! fit le capitaine en haussant les épaules, je sais bien que je n'aurai pas le dernier mot avec un monstre de ton espèce, mais, dis-moi, qu'en as-tu fait de Toutou-Mak?

—Elle a expié son forfait, dit Kougib en regardant son prisonnier d'un air railleur.

—C'est-à-dire que tu l'as tuée, n'est-ce pas? Oh! je devais m'y attendre!

—Et t'attendais-tu aussi à ce qui t'arrive?

—Que t'importe?

—T'attends-tu à ce qui t'arrivera? continua l'angekkok avec un horrible ricanement.

—De toi, oui. Tu m'égorgeras, répondit Dubreuil sans sourciller.

—Tu n'y es pas, Innuit-Ili. Nous ne sommes plus au Succanunga. Là-bas, on se débarrasse d'un homme en l'abattant d'un seul coup. Ici, c'est différent: on savoure la vengeance, lentement, comme un mets agréable au palais. Mais je ne veux pas le priver du plaisir de la surprise. Tu verras demain, Innuit-Ili.

—Tes menaces ne m'effraient point, Kougib.

—Si elles ne t'effraient point, leurs effets te feront pleurer des larmes de sang. Ah! tu as pensé qu'on me pouvait braver!...

—Toutou-Mak est donc morte? interrompit Dubreuil.

—Toutou-Mak est morte!

—Massacrée par toi! s'écria le capitaine, échappant aux mains qui le retenaient et bondissant vers le lit de l'angekkok-poglit.

Mais, ayant les pieds et les poignets attachés, il tomba lourdement sur le sol.

Pour le punir, un Esquimau lui piqua le dos de sa lance. Il l'aurait tué sans l'intervention de Kougib.

—Laisse-le, Kamuk[21], dit-il. Je le réserve pour la fête de demain. Mettez-le dans la loge aux prisonniers, et souvenez-vous que s'il s'évade, la colère de Torngarsuk s'appesantira tout entière sur vous.

[Note 21: La Bouche.]

—Redoutez plutôt celle de Triuniak! s'écria Dubreuil exaspéré par la douleur.

—A demain, Innuit-Ili, tu assisteras et joueras le principal rôle à un spectacle nouveau, lui dit d'un ton sardonique Kougib, alors qu'on l'emportait hors de la hutte de l'angekkok-poglit.

Il fut traîné dans une cabane voisine et confié à la garde de deux Esquimaux.

Nous n'entreprendrons pas dépeindre les sombres images qui assiégèrent son esprit, pendant le reste de la journée et de la nuit suivante. S'il avait pu se méprendre sur le sens des paroles sinistres de Kougib, les hurlements des femmes et des enfants, rôdant autour de sa loge, durent lui apprendre, avec des détails atroces, le supplice auquel il était destiné.

On le devait immoler en l'honneur du Soleil, dont les Esquimaux du nord célèbrent la fête au solstice d'hiver, tandis que les méridionaux la font au milieu de juin, lorsque la nature est sortie de sa longue léthargie annuelle.

«On observe, dit un philosophe, que tous les peuples ont eu et ont encore des fêtes à la fin, ou plutôt au renouvellement de l'année, et que ces fêtes désignent communément une naissance. Chez les Orientaux, c'était la naissance du soleil qui remonte sur l'hémisphère. En Perse, à Rome, le solstice d'hiver était principalement célébré. Il faudrait savoir si les Hottentots, les peuples du Chili, si tous les habitants de la zone tempérée australe ont de semblables fêtes au temps de notre solstice d'été. On verrait alors que le soleil a fait partout les mêmes impressions sur l'esprit des hommes. Mais si les fêtes des Groënlandais au retour de cet astre ne sont pas un reste d'antiques superstitions qui auront voyagé vers les pôles ne doivent-elles pas être un effet de l'inaction où se trouvent les humains durant le repos de l'année? Quand le froid et la nuit les rassemblent autour de leurs foyers, au défaut des travaux que doivent entretenir la chaleur et le mouvement, ne sont-ils pas obligés d'imaginer des jeux et des exercices, des festins et des danses, des moyens, en un mot, de faire circuler le sang dans leurs veines jusqu'aux extrémités du corps?»

Quoi qu'il en soit, c'est le printemps que les Esquimaux du Labrador ont choisi pour fêter l'astre bienfaisant qui nous éclaire; et, dès que l'aurore eut teinté de roses les confins de l'orient, on se prépara à cette importante solennité dans le village on Dubreuil était prisonnier.

Parés de leurs plus beaux habits, les Uski parcoururent les cabanes en dansant au son du tambourin et en chantant de belliqueuses chansons.

Ensuite, ils s'assemblèrent sur une grande place, au milieu de laquelle on avait dressé deux poteaux et allumé des feux.

Devant l'un étaient placés, debout sur leurs pattes de derrière, les deux ours tués l'avant-veille; et devant l'autre s'élevait un bûcher, entouré de femmes, véritables furies, les cheveux épars, les vêtements en désordre, l'air farouche, armées de haches, de couteaux, de lances et de javelots. C'étaient les mères, les soeurs ou les femmes des Uskimé qui avaient péri à l'attaque du navire. Elles poussaient des cris insensés en agitant leurs armes meurtrières.

On amena le prisonnier.

Il était pâle, mais pâle des suites de ses blessures. La sûreté de son regard, la fermeté de son maintien ne permettait pas de soupçonner que la mort lui fît peur.

Aussitôt qu'il parut, les Esquimaues cherchèrent à se ruer sur lui. Kougib les en empêcha. Incapable de marcher, il s'était fait porter sur la place.

Dubreuil fut attaché sur le bûcher.

Puis autour de lui et des ours commencèrent des danses de caractère. L'une exprimait admirablement le combat d'un homme avec un de ces terribles animaux. L'autre représentait, avec non moins d'éloquence et de vérité, la prise du captif. Ces pantomimes, vivement imagées, étaient encore relevées par la musique et les chants, auxquels, par intervalle, l'assemblée répondait en choeur.

—Amna-aiah' aiah-ah! ah! ah!

Bien que ces divertissements fissent grand plaisir aux assistants, il était facile de remarquer qu'ils attendaient avec impatience quelque chose de mieux, l'autorité de Kougib n'arrivait pas toujours à les contenir. Déjà, plusieurs avaient lancé des pierres au pauvre Dubreuil, une femme lui avait jeté à la face un tison embrasé. On en voyait une autre qui faisait rougir une hache, tandis qu'une troisième essayait de se glisser derrière le poteau pour planter ses dents dans les chairs de la victime, et que des hommes se fabriquaient des pinces, afin de lui arracher les ongles: tout cela au milieu d'un charivari infernal.

Enfin Kougib, le visage rayonnant d'une joie sanguinaire, cria:

—Qu'elle commence, celle de mes soeurs dont le fils a été tué par l'homme blanc!

—Me voici, dit une des Esquimaues, brandissant une torche enflammée autour de l'infortuné capitaine.

Et invoquant l'ombre de son enfant:

—Approche, lui dit-elle. Ta mère va t'apaiser. Elle te prépare un festin.

Puis elle saisit un vase de pierre et continua:

—Bois à longs traits ce bouillon que je vais verser pour toi. Reçois le sacrifice que je fais par la mort de ton ennemi. Il sera brûlé et mis dans la chaudière. Je te donnerai son coeur et son foie. On lui enlèvera la chevelure, on boira dans son crâne. Tu ne feras donc plus entendre de gémissements; tu seras pour jamais satisfait. Va, mon fils, va, noble fruit de mes entrailles, ta mère te venge!

Sa main droite avançait en même temps la torche vers les yeux de Dubreuil, qui jeta une plainte douloureuse.

Mais cette plainte fut étouffée sous une explosion de cris soulevés par la terreur:

—Les Indiens Bouges! voici les Indiens Rouges!

XII

LE CHANT DE MORT

Une invincible panique s'empara des Esquimaux. Ils se mirent à fuir dans toutes les directions. Néanmoins, avant de se sauver, l'Indienne à la torche jeta son flambeau sous les pieds de Dubreuil et le bûcher commença à s'enflammer.

—Ah! tu mourras, et les mânes de Pumè seront vengés! marmottait Kougib en couvant sa victime de regards implacables.

La blessure que le capitaine lui avait faite l'empêchait d'imiter l'exemple des Uskimé, mais telle était sa haine contre Dubreuil qu'il semblait moins soucieux de son salut que de l'assouvissement de cette haine. Craignant sans doute que le captif ne lui échappât encore une fois, il se traînait sur les mains et les pieds, s'approchait du patient, cherchant à ramasser une hache pour l'en frapper.

La fumée et le feu se tordirent autour de Dubreuil, qui, tout entier à la pensée de l'éternité, avait à peine remarqué ces incidents. Mais alors des cris, des cris de guerre, comme il n'en avait entendu jamais, retentirent autour de lui. En même temps, la place était envahie par une troupe d'individus qu'on eût dits sortis des régions de l'enfer.

Ils avaient la face, le corps, les membres rouges comme du sang, et ils étaient complètement nus, à l'exception de mocassins à leurs pieds et d'un court jupon en peau ou en écorce, attaché au dessus des hanches.

Un carquois, un arc sur le dos, à la main un casse-tête ou une hache, entre les dents un couteau, voilà leurs armes.

Mais quelles tailles de géants! quelles charpentes solides! quelles vigoureuses musculatures! quelles physionomies martiales! Sans peine on comprenait la terreur que devaient inspirer ces redoutables sauvages. Comment les Esquimaux, des diminutifs d'hommes, auraient-ils pu leur résister? Entre les deux races, frappant contrastes: l'une, la plus haute, la plus vaillante expression de la nature humaine physique; l'autre, la plus basse, la plus chétive. Évidemment, si les Uskimé avaient un jour ou un autre remporté quelque avantage guerrier sur les Indiens Rouges, ils en étaient redevables au nombre ou à la surprise, mais, à armes égales, dix de ceux-ci auraient dérouté vingt-cinq de ceux-là.

A leur tête marchait un chef de la plus belle prestance. Sa dignité, on la reconnaissait aux dix plumes d'aigle dont il avait la chevelure ornée, et plus encore à l'air de commandement empreint sur son visage.

Il aperçut, en même temps, Dubreuil que les flammes circonvenaient déjà, et Kougib, qui rampait vers lui en le menaçant d'une hache.

—Ouah! fit-il en se jetant vers le bûcher, dont il éparpilla les arbres embrasés d'un coup de pied, tandis que de l'autre il repoussait l'angekkok-poglit.

Kougib mâchonna une imprécation entre ses dents et lança violemment sa hache contre Dubreuil. Heureusement elle ne l'atteignit pas.

—Innuit-Ili! c'est Innuit-Ili! disait l'Indien Rouge en coupant les liens de Guillaume.

—Ah! je l'ai manqué! je suis perdu! grommelait l'angekkok-poglit, tâchant de retrouver une autre arme.

—Mon frère, rassure-toi; je te connais; tu es avec un ami continua le libérateur en langue esquimaue.

Et il reçut dans ses robustes bras Dubreuil, qui ne pouvais se soutenir à cause du gonflement de ses pieds.

—Tu me connais, mon frère? balbutia-t-il avec autant de surprise que de joie.

—Oui, Kouckedaoui connaît l'ami de Toutou-Mak.

—Toutou-Mak!... mon frère l'a vue?... il sait où elle est?

—Kouckedaoui est son père! répondit l'Indien avec un mélange d'amour et d'orgueil.

Fatigué par tant d'émotions diverses, stupéfait d'une révulsion si subite, si inattendue, le capitaine Dubreuil se demandait s'il n'était pas le jouet d'un rêve, et il portait des yeux hagards tantôt sur l'Indien Rouge, tantôt sur les débris fumants du bûcher, tantôt sur Kougib.

—Attends, mon frère, dit Kouckedaoui en le posant doucement à terre.

Puis il saisit au cou l'angekkok-poglit d'une main, lui planta son genou sur la poitrine et tira un couteau.

—Non! non! mon frère, épargne-le! pour l'amour de Toutou-Mak, épargne-le; je t'en supplie, épargne ce misérable! implora Dubreuil, incapable de voir froidement commettre un homicide.

—L'épargner! est-ce ainsi que tu procèdes à l'égard de tes ennemis? N'a-t-il pas voulu t'assassiner tout à l'heure?

—Tu es un lâche, plus lâche qu'une femme! Je te méprise! râlait Kougib sous la pression du genou qui lui écrasait le thorax.

—Je t'en conjure, Kouckedaoui, laisse-le vivre, insista Dubreuil.

—Qu'il me laisse vivre, pour que j'achève de te tuer! reprit l'Esquimau d'une voix-railleuse. Oui, de te tuer, comme j'ai tué ta Toutou-Mak!

—Que dit ce chien? s'écria l'Indien Bouge.

—Il prétend, le scélérat, qu'il a fait périr ta fille, répondit Dubreuil.

—Toutou-Mak est la fille.....

—C'est ma fille, interrompit Kouckedaoui.

—Alors, Kougib mourra content, dit l'angekkok d'un ton joyeux, il mourra content, car si l'enchanteur blanc lui échappe, il peut donner au père de Toutou-Mak de» nouvelles de son enfant.

—Et quelles nouvelles lui peux-tu donner? s'enquit le Boethic étonné.

—Des nouvelles bien intéressantes, fut-il répliqué avec un accent sarcastique.

—Parle.

—Kougib a été la cause de la mort de Toutou-Mak.

—Oh! l'infâme! murmura Dubreuil, essayant de se soulever.

—Tu mens! tu mens! repartit véhémentement l'Indien Rouge.

—Kougib n'est pas un Boethic pour mentir.

—Kougib! c'est toi qu'on nomme Kougib? Tu viens du Succanunga? proféra Kouckedaoui avec une surprise mêlée de colère.

—Oui, repartit l'Esquimau, appuyant son affirmation d'un regard de dédaigneuse fierté, je suis Kougib, angekkok-poglit des Uski de l'Est, je viens du Succanunga. Si tu es le père de Toutou-Mak, sache que je l'ai enlevée, et que, comme elle refusait de se donner à moi, Torngarsuk l'a engloutie dans les flots, à ma requête.

—Ah! tu es Kougib, gronda l'Indien Rouge. Je suis aise de te trouver enfin!... Je te cherchais, Kougib...je te cherchais... Pour te trouver, pour te punir, pour te punir comme tu le mérites, je serais allé jusqu'au Succanunga... Tu vois que j'avais envie de te connaître, de te posséder!

—Ta fureur ne m'effraie guère! Tue-moi donc, si tu l'oses! Mais tu es trop poltron. Les Indiens Rouges ont du lait au lieu de sang dans les veines. Ils s'imaginent qu'ils font peur à leurs ennemis parce qu'ils se peignent le corps en rouge; mais leur coeur est mou, leur bras est débile comme celui des vieillards. Moi, si je n'étais pas blessé, je les chasserais tous comme une troupe de lapins.

Pendant que l'angekkok-poglit parlait, Kouckedaoui s'était occupé à lui lier les poignets.

—Nous verrons bientôt, dit-il en finissant, si le feu te trouve aussi brave. Ta langue est fourchue et elle siffle comme celle d'une vipère. Appelle ton Torngarsuk, dis-lui de te délivrer. Je l'en défie!

—Torngarsuk me vengera! Sa vengeance a déjà commencé. Tu la porteras avec toi au milieu des tiens, en y introduisant ce magicien blanc! Kougib affrontera la torture sans se plaindre, car sa mission est remplie. Il a jeté la peste au milieu de ses ennemis les Indiens Rouges!

En prononçant ces paroles d'un ton prophétique, l'angekkok-poglit avait les yeux tournés vers le capitaine Guillaume Dubreuil.

Kouckedaoui se rapprocha de celui-ci et dit:

—Comment, mon fils, es-tu tombé au pouvoir de ce carcajou? Toutou-Mak m'avait appris que tu étais resté...

—Toutou-Mak! s'écria Dubreuil n'en pouvant croire ses oreilles; mais elle vit donc encore?

—Elle vit! répondit simplement l'Indien.

—C'est faux! hurla Kougib.

—O mon Dieu! je vous remercie! s'écria dans sa langue maternelle Guillaume en levant les yeux au ciel.

—C'est faux! faux! répétait l'angekkok avec rage.

—Mais, où est-elle? demanda vivement le Français.

—Elle est à Baccaléos.

—Quoi! vrai, mon frère? tu ne te trompes pas? tu ne me trompes pas? faisait Dubreuil avec une agitation indicible.

—La langue de Kouckedaoui a toujours été droite. Il te dit que Toutou-Mak est à Baccaléos, qu'elle vit: cela est. Elle t'attend, Innuit-Ili. J'étais parti avec mes guerriers pour aller te chercher au

Succanunga. Te voici, je te ramènerai, je ferai le bonheur de celle que tu aimes. Dis-moi maintenant, mon fils, qui t'a conduit ici.

—Le hasard, répondit Dubreuil. Croyant que ta fille était morte, Kouckedaoui, j'avais construit un grand canot, pour retourner dans mon pays. Triuniak, le père adoptif de Toutou-Mak, m'accompagnait...

—Triuniak, je sais, dit l'Indien Rouge, il t'accompagnait! Où est-il? Mon coeur se gonfle à l'idée de le voir. Il fut bon pour Toutou-Mak, bon pour toi, je l'aime. Montre-le-moi.

—Triuniak, reprit Dubreuil, m'avait quitté, quand j'ai été saisi et conduit ici par les Esquimaux. Il doit rôder autour de ce village, sans doute les guerriers de mon frère' l'auront épouvanté.

—Pourquoi n'êtes-vous pas débarqué à Baccaléos?

—Une tempête nous a forcés d'aborder sur cette côte; mais mon intention était de me rendre à l'île que tu habites, mon frère.

—Tu espérais donc y retrouver Toutou-Mak?

—Hélas! non, mais on m'avait dit que les hommes de ma race! y atterrissaient quelquefois.

—On t'avait dit juste, mon frère.

Un rayon de joie colora le visage pâli de Dubreuil. Il allait adresser une foule de questions à Kouckedaoui, quand arrivèrent quelques Indiens Rouges traînant à leur suite une dizaine de femmes et d'enfants esquimaux.

A peine cette troupe fut-elle sur la place qu'une des femmes poussa un cri.

—Kouckedaoui! mon époux! mon époux bien-aimé!

Et elle vola vers le chef, qui tressaillit après avoir levé les yeux.

—Est-ce Shananditit? fit-il d'un ton plutôt froid qu'animé, en étrange opposition avec cette explosion d'amour que sa vue avait arrachée à la femme.

Cependant, Kouckedaoui était profondément ému, aussi ému que peut l'être l'homme le plus sensible qui retrouve, après l'avoir perdue depuis quinze ans, et perdue pour la seconde fois, une femme chérie, la mère d'un enfant adoré. Mais la dignité indienne lui commandait de refouler ces impressions, alors que les plus tendres passions l'agitaient intérieurement.

—Ah! dit l'Indienne avec tristesse, ne me reconnaîtrais-tu plus?

—Mon coeur se serait desséché plutôt que d'oublier Shananditḥit, répondit Kouckedaoui. Il est heureux et satisfait, car Shananditḥit a toujours été celle qu'il a le plus aimée.

—Moi aussi, dit-elle, je n'ai cessé: de t'aimer. Le jour et la nuit je pensais à toi; je soupirais pour le moment où tu me tirerais de l'esclavage, et quoique le guerrier uskimè qui m'avait choisi comme épouse fût bon pour moi, je ne pouvais arracher de mon coeur le souvenir du vaillant Kouckedaoui.

—Il fut bon pour toi, Shananditḥit! Je veux qu'on lui rende la liberté s'il est fait prisonnier, repartit le chef, loin de paraître fâché que sa femme eût accepté un autre mari durant sa captivité.

A cette époque, la jalousie était un sentiment presque ignoré des Indiens de l'Amérique septentrionale; ils se prêtaient volontiers leurs femmes, les offraient aux étrangers, et refuser leur présent eût été le comble de l'impolitesse. Ce sont les Européens, c'est nous qui avons importé ce vice chez eux, avec bien d'autres fléaux, malheureusement.

—Kouckedaoui est aussi généreux que brave! répondit la sauvagesse, que ne puis-je, en récompense, lui rendre sa fille!

Et elle baissa douloureusement la tête.

—Notre fille nous est revenue, dit le chef.

—Toutou-Mak! s'écria Shananditḥit, en relevant ses yeux mouillés sur ceux de son mari.

—Toutou-Mak, affirma-t-il de nouveau.

—Où est-elle? dis-moi, Kouckedaoui, où elle est. Je n'ose croire à tant de bonheur.

—Toutou-Mak est au fond du grand lac salé, dit alors Kougib d'un ton moqueur.

Cette imprudente interruption ramena sur l'angekkok-poglit l'attention de l'Indien Rouge.

—Je vais, dit il avec emportement, mettre fia à tes criailleries de hibou.

Et appelant quelques-uns de ses compagnons:

—Reconstruisez le bûcher, leur ordonna-t-il, quand il sera prêt, rôtissez ce chien hargneux.

Dubreuil essaya encore d'intervenir en faveur de Kougib. Ce fut en vain. Kouckedaoui ne voulut pas céder. L'eût-il voulu, que sa bande ne l'eût pas écouté. Il lui fallait une victime humaine pour immoler à Agreskoui, sa divinité de la guerre; cette victime était là. Le sacrifice devait être consommé. Du reste, l'angekkok-poglit ne faisait aucune tentative pour apaiser les vainqueurs. Loin de là, il provoquait à plaisir leur ressentiment par ses fanfaronnades et les injures dont il les accablait.

Pendant qu'on redressait le bûcher et que Kouckedaoui causait un peu à l'écart avec Shananditthit, un *bouhinne*, magicien, qui accompagnait les Indiens Rouges, posa brutalement la main sur Dubreuil, toujours assis à l'endroit où le chef l'avait placé.

Il le secoua, en lui adressant des paroles que Guillaume ne comprit pas, mais dont il devina à moitié le sens;—le bouhinne lui déclarait qu'il était sa propriété.

Comme marque de son sacerdoce, ce sorcier portait sur le crâne un casque fait avec la tête d'un ours, et à son cou pendait un sac, en peau de caribou, orné de verroteries et de poils de porc-épic. Ce sac renfermait les amulettes du jongleur, qui, d'ailleurs, était nu et vermillonné, de l'occiput à la plante des pieds, comme la plupart des Indiens Rouges.

Pour imprimer plus de force à son discours, il fit un signe à deux Boethics, ceux-ci accoururent, empoignèrent Dubreuil par les bras et les jambes, et se disposèrent à l'aller porter sur le bûcher où l'on attachait Kougib. Ne soupçonnant pas d'abord leurs intentions, Guillaume n'opposa aucune résistance; mais en découvrant le but que se proposaient les sauvages, il se débattit si vigoureusement que, malgré son état de faiblesse, les Boethics avaient dû le lâcher et demander du secours, quand Kouckedaoui arriva, attiré par le bruit de la lutte.

Une violente discussion s'engagea aussitôt entre lui et le bouhinne. Cette discussion eut lieu dans un idiome que Dubreuil n'entendait pas. Les gestes des deux Indiens lui apprirent pourtant que le jongleur prétendait le brûler, et que Kouckedaoui repoussait cette prétention, en attestant que l'homme blanc lui appartenait, car il l'avait pris lui-même, et qu'il était maître d'en faire ce qu'il voulait.

Le sorcier insistait: l'immolation d'un blanc serait agréable à Agreskoui. En pouvait-on douter? Quel intérêt Kouckedaoui avait-il à la conservation de cet homme blanc?

Les Indiens Rouges, rassemblés autour d'eux, penchaient manifestement pour leur bouhinne. Le chef résolut de couper court au différend.

—Si, s'écria-t-il en langue boethique, puis en langue esquimaue, si quelqu'un de vous fait la plus légère égratignure à ce guerrier blanc, je lui casserai la tête avec mon tomahawk.

Cette déclaration, accentuée par un mouvement significatif, imposa aussitôt silence aux murmures qui commençaient à s'élever. Et le bouhinne se retira en lançant à Dubreuil un regard courroucé.

Kouckedaoui baisa ensuite le Français sur le front et le menton, pour indiquer qu'il l'adoptait, et que désormais sa personne était sacrée.

En même temps il lui dit:

—Ne réclame plus la grâce de Kougib; il ne l'aurait pas, et je ne pourrais te soustraire à la fureur de mes guerriers; car, comme dans chacune de nos expéditions heureuses nous avons l'habitude de sacrifier un prisonnier mâle, et qu'il n'en a pas été fait d'autre que toi et le Groënlandais dans celle-ci, s'il échappait à la mort, ma protection serait peut-être insuffisante pour t'en préserver.

—Au moins, mon frère, rends-moi un service: éloigne-moi de ce spectacle, qui m'afflige trop cruellement.

—Toutou-Mak m'avait bien dit que, quoique brave comme un ours blanc et fort comme un morse, tu ne savais pas profiter de la défaite de ton ennemi, fit le chef en souriant.

—Les gens de ma race pardonnent, et mon Dieu le commande! répondit Dubreuil, tandis que Kouckedaoui le transportait dans une butte voisine, et que, debout sur le bûcher, harcelé par ses tourmenteurs, qui lui appliquaient un collier de haches rougies au feu, ou lui tenaillaient les membres, ou lui tordaient les nerfs au moyen de morceaux d'ivoire passés sous la peau, ou lui taillaient dans les jambes et les cuisses des lambeaux de chair qu'ils dévoraient crus, Kougib bravait, du regard et de la voix, les Boethics, en chantant fièrement son chant de mort:

—Qui êtes-vous, vous qui m'injuriez? Rien que des femmelettes. Vous ne savez pas vous battre, vous ne savez même pas tirer une larme d'un ennemi terrassé!

—Le grand exploit que de m'avoir pris! Vantez-vous-en! oui, allez vous vanter, près de vos filles et de vos épouses, d'avoir pris un homme blessé, impuissant à se défendre!

»O la noble prouesse! Quelle gloire pour vous, Indiens Rouges! On en parlera chez vos arrière-neveux. Ils répéteront vos louanges et sur vos tombeaux déposeront, au lieu d'armes, du fil, des aiguilles et des ciseaux!

»Allons! frappez, frappez-moi. Je ne vous crains point, je ne soupirerai ni ne me plaindrai. Mais vous ne savez même pas comment on torture un ennemi. Faut-il vous l'apprendre?

»Montez ici, déracinez-moi les dents, arrachez mes ongles, incisez mes membres, dans les plaies versez de l'huile bouillante. Et voulez-vous mieux encore? écorchez-moi vivant. Puis vous roulerez mon corps sur du sable fin, vous l'enduirez de miel et l'exposerez au soleil.

»Voilà comment on fait souffrir un guerrier, mais pas cependant un Uski du Sud. Je défie à votre lâcheté d'imaginer un supplice capable d'arracher un gémissement à un Uski du Sud.

»Parce que je venais du Nord, vous m'avez jugé timide comme vous, amolli comme vous, sensible aux plus petites piqûres comme vous. Détrompez-vous. Kougib est un homme; il mourra comme un homme.

»Mais auparavant apprenez encore de lui quelque chose. Recevez sa prédiction dernière. Si ses compatriotes du Succanunga avaient son courage, Indiens Rouges, ils posséderaient maintenant votre île.

»Allumez le feu de votre bûcher! il est temps. Je vous le répète, ô vil troupeau de loups poltrons, vous ignorez l'art du bourreau, tout aussi bien que celui du guerrier.

»Elle grimpe, la flamme; je la sens; elle me lèche, une caresse, m'étreint tendrement. Voyez comme elle m'aime, comme je l'embrasse avec amour, tandis que vous fuiriez honteusement ses baisers ardents!

»Indiens Bouges, souvenez-vous que l'homme blanc sera le vengeur de Kougib. Vous avez repoussé les invasions des Uski septentrionaux, mais vous tomberez sous les coups de la race blanche!

»Indiens Bouges, peureux, vantards, assassins, meurtriers, tribu maudite, vous vous souviendrez de Kougib!...»

L'angekkok-poglit jeta cette imprécation avec la sombre énergie d'un prophète inspiré, en agitant, à travers les flammes qui l'enveloppaient de toutes parts, un bras déjà carbonisé, mais dont la terrible menace fit reculer les Boethics d'épouvante.

XIII

KOUCKEDAOUI

Les Indiens Rouges demeurèrent huit jours au village esquimau:—huit jours de festins continuels, où furent dévorées toutes les provisions abandonnées par les vaincus.

Cependant Kouckedaoui fit battre tout le pays, mais inutilement, pour retrouver Triuniak. Fort affligé de la nouvelle disparition de son ami, Dubreuil prétextait de ses souffrances pour retarder le départ des Boethics, qui désiraient retourner dans leur île. Mais ses forces étant revenues, et voyant l'insuccès des recherches, il cessa de retenir le chef, qui, pour l'obliger, avait prolongé son séjour, au risque de soulever le mécontentement de ses guerriers.

La veille du départ, Kouckedaoui et Dubreuil eurent ensemble un entretien confidentiel. Le chef promit au Français de lui donner sa fille en mariage, mais à condition qu'il s'établirait définitivement au milieu des Indiens Rouges et lui succéderait dans son commandement. Puis, suivant la coutume des Boethics, il lui conta l'histoire de sa vie.

«Kouckedaoui, ou le Faucon, était né à Baccaléos, il y avait cinquante hivers. De bonne heure, il se distingua dans les guerres que soutenaient, à cette époque, les Indiens Rouges contre les Mic-Macs. Quand il revenait de ces longues et dangereuses expéditions, tout couvert de gloire, c'est-à-dire de chevelures pendues à sa ceinture, les anciens de la tribu le montraient avec orgueil et exhortaient leurs fils à manier la lance, à tirer de l'arc et à frapper l'ennemi, comme le Faucon.

»Il épousa Shananditbit, la plus belle, la plus aimable des vierges boethiques. Qui mieux qu'elle pouvait écorcher un caribou, passer, blanchir le cuir, fabriquer des mocassins et préparer la moelle des os d'élan? Shananditbit n'avait pas apporté dans sa loge un coeur indifférent. Non; comme témoignage irrécusable de son amour, elle avait éteint le tison ardent que Kouckedaoui avait allumé dans la tente de son père; et, après leur mariage, l'affection de la jeune femme s'était accrue encore.

»Jamais elle ne murmurait quand, au retour de la chasse, il fallait lui ôter ses mocassins et ses mitasses; jamais elle ne murmurait quand il fallait les sécher et les frotter, pour les rendre souples et doux. Bien plus cependant que toute autre chose, la docilité de Shananditbit aux ordres de sa belle-mère prouvait l'amour que lui inspirait Kouckedaoui. Aussi, quoique réservées pour les heures secrètes, les tendresses de son mari ne lui manquaient-elles pas. Aucune femme de la tribu ne pouvait montrer plus de ouampums et d'ornements que l'épouse du jeune guerrier. Plus d'une fois, il l'avait, en cachette, aidée à rapporter au logis le gibier abattu par ses flèches, fait inouï dans les annales conjugales des Indiens Rouges.

»Elle lui donna une fille, puis un fils, et put dès lors être assurée que, quel que fût le nombre des femmes qu'il prit dans la suite, il ne la répudierait jamais. Ces deux enfants furent la joie de leurs parents, surtout de la grand'mère, qui prédit que le fils deviendrait le plus brave guerrier de sa race.

»Les enfants commençaient à marcher, quand le Faucon résolut d'aller chasser à l'extrémité septentrionale de l'île. Il partit avec sa femme, laissant son fils et sa fille à la garde de la grand'mère, qui s'était blessée au pied. Dans les cantons où ils arrivèrent, le gibier abondait. Kouckedaoui pensa qu'il en fallait faire profiter sa tribu, et, en conséquence, il retourna la chercher. Les Indiens rouges aussitôt levèrent leurs tentes et suivirent le chef. Mais, jugez du désespoir de celui-ci! en arrivant au lieu où il avait laissé son épouse, il ne la trouva plus!

»Son wigwam avait été pillé, détruit. Tout autour se faisaient remarquer les traces des Mic-Macs.

»Kouckedaoui ne pouvait pleurer. Si profonde qu'elle soit, un Indien doit cacher sa douleur. Le chef était bon, brave, habile. Il eût trouvé, s'il eût voulu, cent épouses pour succéder à celle qu'il avait perdue. Mais laquelle aurait pu remplacer la douce et laborieuse Shanandithit?

»Le Faucon fit voeu qu'il ne mènerait pas une autre femme à sa couche et ne couperait pas sa chevelure avant d'avoir tué et scalpé cinq Mic-Macs. Il remplit son carquois, mit à son arc une corde nouvelle, aiguisa son couteau, monta dans son agile canot d'écorce, et entonna son chant de guerre.

» Son absence dura une saison entière. Au retour, il possédait les cinq scalpes. Elles furent pendues près du foyer de sa loge. On crut qu'il allait faire choix d'une femme. Mais Kouckedaoui était plus triste encore qu'avant son départ; il fermait les oreilles à toutes les paroles de mariage. Ses amis pensèrent qu'il ne reviendrait point de sa détermination. Sa mère fut d'un avis différent. Elle l'importuna tant, avec sa ténacité féminine qui sape les obstacles quand elle ne peut les surmonter, qu'à la fin le Faucon céda à ses désirs.

»La vieille avait porté son choix sur une charmante jeune fille nommée Avolalia; elle la demanda aux parents, qui furent enchantés d'un tel honneur. La fiancée ne montrait pas un grand empressement; mais c'était chose trop commune pour exciter la moindre surprise. Le mariage se fit, et Avolalia fut installée dans la loge de Kouckedaoui.

»La nature ne l'avait pas formé pour vivre seul. Malgré le mépris qu'une éducation indienne soulève contre le beau sexe, Kouckedaoui avait un faible pour les séductions des femmes. Si Avolalia n'était pas, à beaucoup près, aussi aimante que la regrettée Shanandithit, elle semblait s'acquitter de ses devoirs d'une façon si convenable, que le jeune homme commença à s'attacher à elle.

Sa santé débilitée s'améliora. De nouveau, on le vit sourire et chasser le caribou avec son ancienne vigueur.

»Cependant, lorsque Avolalia haussait, comme il lui arrivait quelquefois, la voix plus que ne le permettait l'affection conjugale, Kouckedaoui songeait à Shanandithit et refoulait dans son coeur un soupir.

»En leur loge venait souvent un jeune Indien qui avait jadis recherché Avolalia en mariage. Il arrivait de bonne heure, se retirait tard. Comme Avolalia semblait ne pas s'occuper de lui, le Faucon ne trouvait pas ses visites mauvaises. Mais eût-il pu voir dans l'esprit de sa femme, il eût dédaigné de montrer de la jalousie. Sa conduite aurait prouvé que son coeur était fort. Elle ne tarda pas à le prouver.

»Un matin, sa mère étant allée avec les enfants voir des amis à quelque distance, on lui apprit qu'une harde de daims avait été découverte à une demi-journée de marche du village.

»—Vas-y, mon mari, lui dit Avolalia, car nos provisions s'épuisent. Si le troupeau est nombreux, je courrai te joindre. Mais, en tous cas, ne reviens pas ce soir. Si tu tues quelque gibier, suspends-le aux branches d'un arbre, pour que les loups ne le puissent atteindre, et repose à côté.

»Après ces mots, elle l'embrassa avec une tendresse inaccoutumée, et il partit. Les caribous abondaient; avant midi il en avait fait tomber deux sous ses flèches. Il les chargea sur son canot et reprit gaiement le chemin de sa loge.

»Il fallait remonter le courant de la rivière. Kouckedaoui n'arriva qu'au milieu de la nuit. Tout était silencieux autour de la cabane. Les chiens, flairant leur maître, ne donnèrent point l'alarme. Le Faucon ramassa une poignée de roseaux, pénétra sans bruit chez lui, et alluma ses roseaux sur des charbons agonisant au milieu de la hutte.

»La flamme aussitôt éclaira un spectacle qui fit jaillir le sang au visage du chef. Côte à côte avec Avolalia dormait son prétendant d'autrefois! Le Faucon dégaina son couteau. Un moment son esprit flotta dans l'indécision. Le fier et noble orgueil dont il était animé l'emporta. Le couteau rentra dans le fourreau, et Kouckedaoui quitta la loge sans éveiller les imprudents.

»Mais quand une zone grisâtre apparut à l'orient, il se rapprocha de son wigwam. Le favori d'Avolalia en écartait le rideau de cuir: il s'arrêta, cloué au sol.

»—Rentre, lui dit Kouckedaoui d'une voix courroucée.

»Le traître obéit. Il fut suivi du mari outragé. Avolalia, épouvantée, se voilà la face avec les mains.

»—Allume du feu et prépare à manger, lui dit le Faucon.

»Quand, le repas fut servi, il s'adressa au jeune homme, tremblant d'effroi:

»—Mange mon bien, toi qui as dévoré mon honneur.

»L'amant crut que ses derniers moments approchaient. Il se disposa à les affronter avec le courage d'un guerrier indien. C'est pourquoi il mangea en silence, et sans manifester d'inquiétude.

»Le repas terminé, Kouckedaoui ordonna à sa femme de faire un paquet de ses effets; puis il se leva et dit au jeune homme:

»—Si un autre, à ma place, t'avait découvert comme je l'ai fait, la nuit dernière, il l'aurait percé d'une flèche avant que tu ne fusses éveillé. Mais si mon coeur est fort, il ne tient pas le coeur d'Avolalia. Avant moi tu l'as désirée, et Je vois qu'elle te préfère, elle est ta compagne plutôt que la mienne. Elle est à toi; et, pour que tu puisses fournir à sa subsistance, je te donne mon arc, mes flèches et mon canot. Partez, et vivez en paix!

»La femme, qui craignait pour son nez[22], et l'amant, pour ses jours, s'éloignèrent immédiatement. Dans la tribu, on admira la conduite du Faucon, mais il avait l'âme noyée de chagrin.

[Note 22: C'est une coutume généralement répandue parmi les Indiens de l'Amérique septentrionale de couper le nez aux femmes adultères. Voir *les Chippiouais.*]

»Malgré la fermeté de sa résolution, le coup avait ébranlé son esprit. Son coeur, il l'avait d'abord donné entièrement à Shananditit, et quand la blessure causée par sa perte fut cicatrisée, il avait aimé Avolalia de toutes ses forces. Il pouvait se vanter d'être indifférent aux trahisons des femmes; on pouvait le croire; mais son stoïcisme n'était qu'apparent. Sous cette surface de marbre, la douleur avait planté ses racines indestructibles.

»Un des plus vaillants guerriers de sa tribu, il était accessible aux émotions comme une femme, malgré le précepte, malgré l'exemple. Il tomba dans une noire mélancolie. Une ou deux chasses malheureuses achevèrent de le persuader qu'il était devenu un objet de déplaisir pour ses Manitous, et que la fortune ne lui sourirait plus jamais.

»Plein de cette idée, il prit l'étrange détermination d'aller se livrer à ses ennemis les Mic-Macs pour apaiser la colère du Grand-Esprit.

»Parvenu à leur village, il ne vit personne. Il entra dans une loge, où deux femmes causaient. Elles lui demandèrent ce qu'il voulait. Sans répondre, il s'assit en un coin, la tête dans les mains, attendant l'arrivée de quelque guerrier, par les armes duquel il pût mourir honorablement.

»Les femmes lui réitérèrent leurs questions, mais sans pouvoir arracher une parole de ses lèvres. Voyant qu'il était impénétrable, elles l'abandonnèrent à lui-même et poursuivirent leur conversation. Ah! avec quelle terreur elles se seraient enfuies, si elles avaient su à quelle tribu il appartenait! Mais, supposant qu'il était Mic-Mac, elles n'en eurent aucune crainte. Par leur entretien, il apprit que les hommes du village étaient allés à la chasse, avec la plupart des femmes, et qu'ils ne reviendraient que le lendemain.

»Kouckedaoui avait là une occasion unique de se venger de ces Mic-Macs qui lui avaient ravi son épouse aimée, sa chère Shananditthit. Cependant, il dompta les impulsions de son tempérament indien. Il n'était pas venu pour tuer, mais pour donner sa vie: il resta fidèle à sa résolution.

»Dès le matin, le jour suivant, un guerrier mic-mac parut dans la loge. Les femmes lui montrèrent leur hôte silencieux et l'informèrent de sa conduite étrange.

»—Qui es-tu? demanda le nouveau venu.

»—Je suis un homme; sache-le, Mic-Mac, répondit le Faucon. Je suis Boethic. Mon nom est Kouckedaoui. Tu as entendu parler de moi. Les flèches des tiens ont percé plusieurs de mes amis. Mais je les ai bien vengés. Vois, je porte sur ma tête dix plumes d'aigle. Maintenant, le Maître de la vie veut que je meure. C'est pourquoi je suis venu ici. Frappe donc, et délivre ta tribu, de son plus grand ennemi.

»Le courage parmi les sauvages, comme la charité par les civilisés, fait pardonner une multitude de fautes. Le guerrier mic-mac regarda l'Indien Rouge avec une admiration mêlée de respect. Il leva sa massue comme pour frapper. Mais Kouckedaoui ne broncha point. Aucun de ses nerfs ne trembla, ses paupières ne vacillèrent pas. L'arme tomba de la main qui la tenait, et le Mic-Mac s'écria, en déchirant son vêtement:

»—Non, je ne tuerai pas un homme brave, mais je montrerai que mes gens sont des hommes aussi. Je ne serai pas surpassé en générosité. Frappe-moi toi-même, et sauve-toi.

»Le Faucon déclina l'offre et insista pour être la victime. Ils firent ainsi, pendant quelque temps, assaut de magnanimité, puis échangèrent une poignée de main en signe d'alliance.

»—Tu es surpris que je parle ta langue, dit le Mic-Mac; mais apprends que ma mère était de ta race et que moi-même j'ai épousé ta propre femme!

»—C'est toi qui m'as enlevé Shananditihit!

»—Oui, et je te la rendrai.

»—Mon frère, je n'aurai pas de présent assez grand pour te récompenser! s'écria le Faucon vaincu par cet excès de libéralité.

»—Tiens! la voici qui arrive. Reprends-la. Je te la donne, quoique je l'aime. Mais je veux que nous demeurions frères.

»A ce moment, Shananditihit, qui revenait avec la bande des Mic-Macs, se jeta dans les bras de Kouckedaoui.

»D'abord les Mic-Macs le voulurent arrêter, retenir en captivité. Mais son nouvel ami raconta comment il était venu au village, avait épargné les femmes et les enfants, quand il pouvait les massacrer impunément, et ajouta qu'il offrait de négocier la paix entre les deux tribus.

Cette déclaration fut favorable au Faucon. On loua sa vaillance et on le convia à un grand banquet.

»Les épreuves de Kouckedaoui n'étaient malheureusement pas terminées. De nouvelles calamités l'attendaient à son retour chez les Boethics. Une maladie contagieuse avait emporté son fils, âgé alors de trois ans, et les Esquimaux du Nord, unis à ceux du Sud, avaient débarqué à Baccaléos et cherchaient à s'emparer de l'île.

»—O Manitou, ne cesseras-tu de me poursuivre! s'écria l'infortuné.

»Néanmoins, il fait bonne contenance, rassemble ses guerriers et marche contre les Uskimé. Cette fois, Shananditihit a refusé de le quitter. Elle le suit, portant sa fille sur son dos.

»Les Indiens Rouges sont vainqueurs. Refoulés avec perte, leurs ennemis repassent le détroit, et Kouckedaoui cherche des yeux les êtres chers à son coeur, qu'il a laissés non loin du théâtre du combat.

»Hélas! ils n'y sont plus. En fuyant, les Esquimaux les lui ont ravis!

»Le Faucon s'enfonça dans les bois. Pendant deux ans, il y vécut seul.

»Une nuit, Ouaïche, le Dieu des songes, lui enjoignit de se remarier, de renoncer des rapports avec les hommes de sa tribu. Il obéit aux injonctions d'Ouaïche.

»La rentrée de Kouckedaoui dans la vie commune fut saluée comme une fête. Il reprit son rang, ses dignités aux acclamations générales, et épousa une jeune et jolie femme qu'il aimait sincèrement, tout en regrettant Shananditihit et leur enfant. Mais le temps, qui porte remède à tout, guérissait peu à peu les blessures de son coeur, il ne songeait plus guère qu'à donner une compagne à sa troisième femme, parce qu'elle était bréhaigne, lorsque le hasard lui ramena sa fille Toutou-Mak, et quelques lunes après Shananditthit, un peu vieillie, sans doute, un peu défraîchie par son odyssée extra-conjugale, mais toujours tellement aimante! toujours tellement dévouée!...

»—Enfin je vais donc jouir dû bonheur que j'ai entrevu si souvent et qui si souvent m'a échappé au moment où je croyais le tenir! dit le brave Faucon en terminant le récit de son aventureuse carrière.

XIV

L'ILE DES GRANDES CASCADES

Cependant, après être sorti de la caverne, Triuniak avait grimpé jusqu'aux crêtes les plus élevées de la montagne. Son but était de découvrir, si faire se pouvait, le village des Esquimaux et le chemin le moins fréquenté qui y conduisait, afin d'approcher à la dérobée de ce village, et d'avoir, comme il l'avait dit à Dubreuil, un entretien avec le chef, qu'il avait connu quinze ans auparavant.

Quand il fut parvenu au terme de son ascension, le soleil avait chassé à l'est les vapeurs épanchées sur la campagne, et, de ce côté, la vue embrassait un vaste paysage. L'ouest était encore à demi voilé par le brouillard.

En plongeant ses regards devant lui, Triuniak aperçut, dans une profonde vallée, des animaux qui paissaient le gazon. Du point culminant où se trouvait l'Indien, ils paraissaient à peine gros comme des chiens. Mais, à leurs larges andouillers, on les reconnaissait pour des cerfs de la plus forte espèce.

Tandis qu'ils broutaient paisiblement l'herbe naissante, un aigle se montra à l'horizon. Sa taille était prodigieuse. Du bout d'une aile à l'autre, il mesurait au moins deux longueurs de flèche. Triuniak le vit s'avancer, planer majestueusement, traverser l'espace, revenir, décrire d'immenses spirales, s'abaisser quelque peu, recommencer son cercle en faisant briller au soleil ses plumes luisantes, remonter ensuite, pour s'arrêter immobile, fixe au milieu de l'éther, et fondre, avec la rapidité de la foudre, sur la harde qui pâturait dans le vallon.

Un instant il disparut. Mais la dispersion du troupeau, fuyant épouvanté dans toutes les directions, annonça à Triuniak que le royal oiseau avait attaqué un des élans.

Bientôt notre sauvage vit une tache noire qui s'élevait... en grossissant, en prenant des formes, à mille pieds au-dessous de lui. C'était le monarque des airs chargé d'une proie. A mesure qu'il se haussait, Triuniak distingua cette proie, un faon qu'il emportait, accroché à ses griffes puissantes. L'animal semblait paralysé par la terreur. L'aigle dirigea son vol vers un des rochers de la montagne, non loin de l'Esquimau, et y déposa sa victime, que d'un coup de bec, il saigna avec une merveilleuse dextérité. L'élan pouvait être une bonne aubaine pour des gens qui manquaient à peu prés de provisions. Cette idée vint à l'esprit de Triuniak. Il résolut d'en disputer la possession au terrible chasseur. Il n'avait ni arc ni flèches; mais avec son couteau il coupa une grosse branche, y attacha une corde munie d'un noeud coulant à un bout, d'une lourde pierre à l'autre, et s'avança résolument à la conquête du butin. Tout occupé de sa capture, l'aigle n'avait pas encore remarqué l'homme. Quand son oeil perçant tomba sur lui, il poussa un cri aigu et se disposa fièrement au combat.

Perché sur le cadavre du faon, se battant bruyamment les flancs avec ses ailes à demi déployées, le cou tendu, les prunelles ardentes, les plumes hérissées, il attendit l'attaque de cet air imposant et redoutable qui est la plus éloquente expression de la force et de la vaillance.

A armes égales, le succès de la lutte n'eût guère été douteux pour l'auguste despote. Mais il comptait sans les ruses de son ennemi. Elles devaient triompher.

Triuniak, arrivé à portée de l'aigle, allongea sa perche et fit mine de l'en frapper. Celui-ci ouvrit le bec pour saisir la branche, qu'il eût mise en morceaux. Son adversaire la retira vivement à lui. L'oiseau, alors, se dressa de toute sa hauteur sur ses ergots, étala tout à fait ses ailes comme s'il allait se jeter sur le téméraire. Triuniak attendait ce moment. Par une manoeuvre habile, il rechassa la perche en avant, coula le noeud au col de l'aigle et tira brusquement.

L'oiseau, qui s'était juché sur une roche à dix pieds au-dessus de l'homme, avait, pour prendre son élan, dégagé ses griffes du corps du faon. Cédant à cette violente et soudaine traction, il perdit pied, tomba à moitié étranglé dans le vide et fut aussitôt lancé du pic vers la vallée. Il n'était pas mort, mais aveuglé et presque étouffé par la strangulation, et agitait, ses pennes avec un fracas formidable, dont retentissaient les échos de la montagne. C'était un spectacle singulier que celui du colossal oiseau se débattant au-dessus du gouffre, en faisant siffler, comme un fléau, la longue perche et la pierre pendues à son cou. A la fin, épuisé par la corde, que ses efforts même serraient de plus en plus, il s'abaissa lourdement et se perdit sur les rampes boisées de la montagne.

Mais il pouvait arriver qu'il coupât le lien et se débarrassât, dès qu'il aurait rencontré un point d'appui. Aussi Triuniak se hâta-t-il d'escalader les masses rocheuses où était le faon pour s'en emparer et se mettre en sûreté. Par malheur, dans sa vivacité, il fit une chute et se foula le pied.

A grand'peine le Groënlandais put regagner la grotte, en traînant son gibier derrière lui. On comprend sa douleur de n'y plus trouver Innuit-Ili, d'Être incapable de le secourir! car son sort n'était pas douteux: les Esquimaux avaient laissé assez de traces de leur passage pour l'apprendre à Triuniak.

La caverne elle-même ne lui offrait plus de sécurité. Il chercha une autre retraite dans le voisinage et demeura une huitaine de jours caché, dévoré de douleur et d'inquiétude. L'entorse ayant alors à peu près cédé à des frictions de graisse et à l'application de plantes médicinales, abondantes dans ces régions,

Triuniak se mit, une nuit, en marche vers l'endroit où il supposait que devait être situé le village esquimau.

Son plan était arrêté: sauver Innuit-Ili s'il vivait encore, ou mourir. Parvenu à sa destination avant le jour, il se tapit sur la lisière du bois, pour reconnaître le terrain quand l'aube serait levée. Il avait été étonné que les chiens, qui rôdent ordinairement autour des campements indiens, n'eussent pas dénoncé son approche, mais il le fut bien plus de voir que rien ne bougeait dans le village après que le soleil eut fait son apparition. Les Esquimaux avaient-ils changé de territoire ou étaient-ils partis à la chasse?

Triuniak s'approcha de la cabane la plus proche: elle était dévastée, la suivante, de même; ainsi des autres. Au milieu de la place gisaient les débris d'un bûcher et des fragments d'os humains. Le Groënlandais sent son coeur saigner.

Mais, en recueillant avec un pieux respect ces ossements, qu'il croyait être ceux de son ami, il discerna sur le sol de nombreuses empreintes de pas. Elles ne ressemblaient pas aux larges et molles impressions faites par les bottes des Esquimaux. Leur forme mieux définie, leur profondeur plus grande vers les doigts que vers le talon, trahissaient une jambe habituée à la course,—le mocassin des Indiens Rouges. La désertion du village, fut aussitôt expliquée à Triuniak. Puis, tout à coup, il tressaillit, laissa échapper le crâne noirci qu'il tenait à la main, et se pencha pour examiner plus attentivement les empreintes.

—Mon ami n'est pas mort, pensa-t-il avec joie. Son Dieu l'a protégé encore, car voici assurément la marque de ses pieds, je les reconnais à leur pointe tournée en dehors, tandis que nous les portons en dedans.[23] Les Indiens Rouges l'ont emmené captif. Il n'y a pas plus d'un flux[24], car les traces sont toutes fraîches.

[Note 23: Tous les sauvages de l'Amérique septentrionale ont la pointe du pied tournée en dedans. L'habitude de se tenir ainsi, en canot a dû donner à leurs pieds cette inflexion.]

[Note 24: Les Groënlandais divisent les jours par le flux et le reflux de la mer.]

Cette découverte rendit à Triuniak son activité. Il fouilla les cabanes pour y chercher des armes, se munit d'un arc, d'un carquois bien garni; oublié par les vaincus ou négligé par les vainqueurs, et entra vivement sur la piste des Indiens Rouges.

Mais, après avoir fait quelques pas, une réflexion le ramena au village. Cette piste devait aboutir à un cours d'eau, les Boethics n'étant probablement pas venus à pied depuis la côte du détroit[25] qui sépare leur île de la terre ferme.

[Note 25: i.e. détroit de Belle-Isle, situé entre le Labrador et l'île de Terre-Neuve.]

Triuniak se chargea d'un kaiak esquimau et reprit son chemin. Il avait eu raison. Sur le soir, il arriva près d'une rivière, au bord de laquelle cessait la piste. Il lança son esquif, s'embarqua et nagea vigoureusement toute la nuit.

Le lendemain et le jour suivant, l'Uski poursuivit sa route avec la même ardeur.

Déjà l'évasement de la rivière indiquait qu'il approchait de son embouchure, quand, au détour d'un promontoire escarpé, il se trouva subitement à une portée de trait d'un camp considérable. Surpris et craignant de tomber entre les mains d'un ennemi, Triuniak essaya de se cacher avec son canot dans une anfractuosité du rivage. Mais on l'avait aperçu. Dix embarcations lui donnèrent aussitôt la chasse. Résister, se défendre, c'eût été se jeter au devant de la mort. Triuniak préféra se rendre, dans l'espoir qu'on se contenterait de le faire prisonnier, et qu'il aurait occasion de voir Dubreuil, de préparer avec lui leur évasion.

En conséquence, il laissa couler sa pagaie, et, la tête baissée, les bras croisés sur la poitrine, s'abandonna au fil de l'eau.

Les Indiens Rouges fondirent sur lui comme des vautours, en proférant leur cri de guerre:

—Hou! hou! hou! houp.

Et l'un d'eux leva sa massue pour l'assommer, mais un autre détourna le coup et dit à ses compagnons:

—C'est l'homme que nous avons cherché: Voyez, il a le costume des Uskimé du nord.

Triuniak ne savait pas la langue des Boethics. C'est pourquoi il fut très-étonné qu'au lieu de le maltraiter, les Indiens Rouges lui témoignèrent une sorte de déférence et le conduisirent au camp avec allégresse.

Leurs clameurs avaient attiré tout le parti sur la grève. En débarquant, Triuniak tomba dans les bras de Dubreuil, qui manifesta par cent caresses le plaisir qu'il avait de le retrouver, et, avec une volubilité toute française, lui conta, en quelques mots, son heureuse aventure.

—Et toi, mon père? s'écria l'impétueux jeune homme.

—Moi, dit le Groënlandais, qui se serait cru déshonoré s'il eût montré quelque émotion, moi je te pensais en danger...

—Nullement! nullement! au contraire! les Indiens Rouges, que tu m'avais peints si farouches, sont excellents... Mais tu ne demandes pas des nouvelles de Toutou-Mak? Elle vit, je te l'ai dit. Demain, nous l'aurons rejointe... Ah! il me tarde... Tiens, voici mon père, Kouckedaoui, dont je te parlais...

—Triuniak, tu es le bienvenu! dit Kouckedaoui en approchant. Celui qui a nourri ma fille est mon frère. Veux-tu bien que nous fassions alliance ensemble?

—Oui, car j'aime ceux qui aiment mes enfants, répondit le Groënlandais. Toutou-Mak est ta fille par le corps, mais elle est la mienne par le coeur. Triuniak te remercie d'avoir été bon pour Innuit-Ili.

En disant ces mots, il appuya ses mains sur les épaules du chef boethic et lui lécha les joues.

En retour de politesse, Kouckedaoui bourra une pipe en cuivre[26], à long tuyau orné de plumes et de coquilles, l'alluma et la présenta au Groënlandais.

[Note 26: On trouve à Terre-Neuve des gisements d'un cuivre très-malléable, dont les Indiens se fabriquent des instruments, depuis un temps immémorial.]

Celui-ci n'avais jamais fumé, cette coutume ne s'étant pas encore introduite dans son pays, qui ne produit ni tabac, ni *sakkakomi*, plante avec laquelle les Indiens remplacent cette substance. Cependant la bienséance exigeait qu'il prit la pipe et en tirât quelques bouffées.

Il s'exécuta de bonne grâce, mais avec une gaucherie et une grimace dont rirent très-fort les Indiens Rouges présents à cette scène.

Ensuite, Kouckedaoui conduisit ses hôtes à sa tente, où on leur servit un festin d'esturgeon et de queues de castor grillées sur des charbons ardents.

Après le repas, Shananditit, la mère de Toutou-Mak, fut présentée à Triuniak. Pour exprimer au Groënlandais sa reconnaissance des soins qu'il avait si tendrement donnés à sa fille, Shananditit, avec l'agrément de son époux, lui fit le présent le plus précieux que puisse offrir une femme boethique: elle coupa sa longue chevelure et la noua à celle de Triuniak, qui, en l'acceptant, la devait porter ainsi, traînant sur ses talons, dans toutes les circonstances solennelles.

—Si mon fils et mon frère désirent rejoindre immédiatement Toutou-Mak, ils sont libres, dit alors Kouckedaoui. Mais moi et mes hommes nous demeurerons quelques jours ici, parce que la chasse et la pêche y sont abondantes.

Triuniak aurait craint de paraître impatient, en répondant affirmativement, ce qui, dans ses idées, eût blessé toute convenance. Mais Dubreuil n'avait pas les mêmes scrupules. Les eût-il eus que son amour l'aurait emporté.

—Que mon père me prête un canot, et j'y volerai! s'écria-t-il.

—Triuniak ne veut-il t'accompagner? demanda le chef rouge.

—Triuniak accompagnera son frère à la chasse, répondit froidement celui-ci. Et quand il plaira à Kouckedaoui qu'il revoie sa fille, il la reverra, Triuniak sait qu'elle vit, qu'elle est en sûreté; cela lui suffit.

—Soit! j'irai bien seul! dit Dubreuil, d'un ton un peu piqué.

—Non, mon fils. Quoiqu'il n'y ait pas loin d'ici au lieu où nous avons laissé nos femmes et nos enfants, tu n'iras pas seul. La rivière est dangereuse, le courant rapide; deux de nos hommes t'escorteront.

—Ce n'est qu'à une journée de distance? demanda Guillaume.

—A une journée et demie.

—Qu'ai-je besoin d'escorte?

—J'aime la vivacité et la hardiesse, jeune homme, dit l'indien Rouge, mais souviens-toi que la prudence est préférable. Près du campement des femmes, la rivière se partage ça deux canaux, dont l'un est semé de chutes et de cascades où tu trouverais certainement la mort si tu les confondais.

—J'obéirai à tes volontés, dit Dubreuil.

Kouckedaoui donna quelques instructions à deux de ses guerriers, et Guillaume s'embarqua avec eux dans un grand canot, dont la proue et la poupe étaient couvertes de peintures hiéroglyphiques à l'ocre rouge, représentant des batailles.

Ce canot, appelé chiman, différait entièrement du kaiak ou de l'ommiah des Uskimé; il avait dix pieds de long sur trois de large et deux de profondeur. Mais les Indiens Bouges en possédaient de beaucoup plus grands, de même forme et de même matière. Cette matière, c'était l'écorce de bouleau levée en hiver, au moyen d'eau chaude, et cousue très-proprement sur des éclisses ou varangues de bois de cèdre, enchâssées dans une double préceinte.

Les *chimans* sont si légers que deux hommes suffisent à porter les plus spacieux; mais leur fragilité est extrême aussi. Le moindre frottement contre un caillou ou le sable en déchire le fond. A tout instant on est obligé de débarquer pour réparer les avaries avec de la gomme. Il va sans dire qu'on ne peut s'en servir que dans les eaux calmes, par des brises régulières, car ils ne sauraient braver la tempête.

Les Indiens les manoeuvrent avec une seule pagaie à pelle unique, ou avec une perche quand il s'agit de piquer le fond, c'est-à-dire de refouler un courant. D'ordinaire, ils se tiennent accroupis ou à genoux à l'avant ou à l'arrière du canot, dont le milieu est occupé par des approvisionnements, les armes et les engins de pêche.

Monté, sur son chiman, le sauvage, méridional est loin d'égaler en célérité l'Esquimau du nord incorporé à son kaiak. Mais il a l'avantage d'y pouvoir embarquer sa famille ou ses amis, de voiturer ce dont il a besoin, tandis que l'autre doit aller seul, avec un très-petit nombre d'instruments de pêche ou de chasse, et exposé, même s'il voyage en compagnie d'autres kaiaks, à périr misérablement, dans le cas où il chavirerait, car personne ne lui porterait secours, chacun n'ayant place que pour soi en son embarcation.

Quoiqu'il ne fût que depuis quelques jours avec les

Boethics, Dubreuil était déjà au fait de leur manière de naviguer.

Assis sur un paquet de fourrures, au fond du canot, il continua le relèvement de la côte septentrionale de la rivière, nommée par les Indiens Rouges Kitchi-Nebi-Ponsekin, c'est-à-dire rivière des Grandes-Cascades, nom qui lui a été conservé, sur les cartes labradoriennes modernes [27].

[Note 27: Située par 42° de lat. et 55° de long.]

Depuis son arrivée sur ces terres inconnues, le capitaine Dubreuil n'avait cessé de prendre des notes et de dresser les plans topographiques, aussi fidèles que possible, des lieux qu'il parcourait. Tracés d'abord avec un morceau de bois ou d'os pointu, puis avec des plumes d'oiseaux aquatiques, ses manuscrits ne le quittaient jamais. Il les avait roulés dans une poche imperméable faite avec une vessie de phoque. Des peaux de renne ou d'élan composaient, nous l'avons dit, son parchemin.

En travaillant, le temps passa vite. Le soir, ses canotiers voulurent atterrir pour camper. Mais ce n'était pas l'affaire de Dubreuil. Il brûlait d'être arrivé, de savourer la surprise et la joie de Toutou-Mak en le reconnaissant, il brûlait de la presser sur son coeur, de l'inonder de baisers!

Les Boethics, que n'animait pas sa fièvre d'amour, se sentaient peu disposés à l'écouter, mais il les menaça de la colère de Kouckedaoui, et ils consentirent à poursuivre leur route, après une heure de repos.

Dubreuil s'étendit, enveloppé de chaudes pelleteries, à l'arrière du chiman, et, mollement bercé par le beau fleuve, il eut une nuit délicieuse que se plurent à embellir les rêves les plus enchanteurs. De grand matin, le jeune homme fut éveillé par des sourds mugissements.

Il se leva, l'aurore empourprant le ciel semblait sortir des ondes de la Kitchi-Nebi-Ponsekin, dont elle rougissait encore le diaphane et liquide miroir.

—Nous approchons des Grandes-Cascades, fit un des Indiens, qui parlait quelque peu l'esquimau.

—C'est là que les femmes des Boethics ont planté leurs tentes, n'est-ce pas? interrogea Dubreuil, en dirigeant avidement ses regards à l'est.

—Oui, mon frère, c'est là que nous les avons laissées, en partant pour combattre les Yak, répondit-il d'un ton méprisant, car il croyait Dubreuil Uskimé d'origine.

—Pourquoi les avez-vous laissées là?

—Imagines-tu que nous menions les femmes à la guerre? répartit-il avec dédain. Le saumon fraie maintenant aux pieds des Cascades. Nous y avons conduit nos squaws pour le prendre, tandis que nous les protégions en nous jetant en avant. Regarde! on aperçoit leurs wigwams à la pointe de l'île.

Dubreuil leva la tête et découvrit effectivement, à un mille du canot, une île verdoyante, émergeant du sein du fleuve, et dont les bords étaient pittoresquement dentelés de tentes coniques, sur lesquelles s'ébattaient les premiers rayons du soleil naissant.

Le tableau, à cette heure matinale, thésaurisait des charmes tels que peu d'âmes tendres y eussent pu résister. La nature l'avait diapré de ses plus riches couleurs. L'émeraude, l'or, l'azur, le rubis, l'argent rivalisaient de lustre et d'éclat pour en orner tous les plans. Cependant, le capitaine Dubreuil était insensible à ces poétiques séductions, lui si amoureux des belles choses! Mais alors son amour pour Toutou-Mak l'emportait sur tous les autres. En son esprit, en son coeur, en ses sens, il n'y avait, à ce moment, place que pour elle. Toutes les forces, toute la vie, pourrais-je dire, du jeune homme s'étaient accumulées dans ses yeux: ils franchissaient l'espace, perçaient, déchiraient les rideaux de verdure, cherchaient avidement la jeune Indienne ou, à son défaut, la tente qu'elle devait habiter. Ah! que le canot marchait donc avec lenteur! Que ces bateliers étaient mous et maladroits! Que Dubreuil eût volontiers donné tant de jours de son existence afin de rapprocher d'autant de minutes le terme de son voyage! Mais il fallait faire un long circuit, pour éviter un courant d'une violence inouïe battant la pointe de l'île et se précipitant furieusement ensuite sur des cataractes qui, du canal méridional, lançaient au ciel des tourbillons de poussière diamantée.

A la fin, l'embarcation aborda sur une batture, dans le chenal du nord. Une centaine des femmes étaient accourues à son arrivée; mais Toutou-Mak n'était point parmi elles. Mille craintes assaillirent le cerveau du capitaine. L'aspect de ces femmes, demi-nues, qui poussèrent des cris d'horreur à son aspect, n'était pas propre à le rassurer. Il débarqua, et les femmes s'enfuirent. Ses compagnons le plaisantaient à l'envoi de l'effroi qu'il inspirait. Toutefois, ils, rappelèrent les squaws, causèrent avec elles, et, une à une, en tremblant, elles osèrent revenir près de l'étranger.

Leur panique dissipée, ces Indiennes importunèrent Dubreuil par une foule de questions auxquelles il n'entendait rien, et par des attouchements pour savoir si la blancheur de sa peau n'était, pas le produit d'une peinture particulière.

Il demanda Toutou-Mak. On lui rit au nez: la fille de Kouckedaoui n'étant plus connue sous ce nom chez les Boethics. Mais sa belle-mère, la troisième femme du chef, arriva. C'était une superbe créature à l'oeil noir expressif, à la physionomie passionnée; elle-avait le teint d'un beau brun olivâtre, et portait un chapeau en fibres d'écorce. Sa taille fine, admirablement proportionnée, s'accusait avec élégance, dans une robe de peau de daim, dont la jupe était enjolivée de dessins faits de poils de porc-épic. Des mocassins, également ornés, chaussaient ses pieds.

La vue du capitaine fit sur elle une impression semblable à celle qu'il avait causée à ses compagnes. Les conducteurs de Dubreuil lui fournirent quelques explications, elle parut se rassurer et dit au jeune homme, en idiome esquimau:

—C'est Kouckedaoui qui t'envoie?

—Oui, il m'a envoyé vers sa fille Toutou-Mak; mais je ne la vois pas.

—Ah! tu es l'homme blanc que Toutou-Mak a connu au Succanunga? Elle n'est plus ici.

—Plus ici? répéta Dubreuil inquiet.

—Non, mon frère, la fille de Kouckedaoui est partie depuis deux nuits.

—Partie! où?... où?

—A Baccaléos, avec un de nos canots chargé de poisson.

—Reviendra-t-elle bientôt, dis, ma soeur? s'écria Guillaume, du ton de la plus vive contrariété.

—Non, mon frère; elle ne reviendra pas ici maintenant; mais quand l'expédition de Kouckedaoui sera terminée, nous la rejoindrons tous à notre village au lac de l'Indien Rouge, dit la jeune femme avec une voix mélodieuse et sympathique, comme si elle devinait et partageait le chagrin que ses paroles infligeaient à l'amant de Toutou-Mak.

—Alors, fit l'impatient Dubreuil, je vais partir tout de suite, me rendre au lac de l'Indien-Rouge.

L'épouse de Kouckedaoui sourit et secoua négativement la tête.

XV

LE TERRE-NEUVE

Malachiteche—la Malicieuse, tel était le nom de la troisième épouse de Kouckedaoui—apprit alors à Dubreuil qu'elle ne pouvait condescendre à son désir sans l'autorisation du chef, et elle l'engagea à patienter jusqu'au retour de celui-ci, de qui elle lui demanda des nouvelles avec une expression d'intérêt assez rare chez les Indiens et dont le capitaine n'avait pas vu d'exemple chez les flegmatiques Esquimaux.

—Je l'ai laissé, dit-il, en force de corps et d'esprit.

—Ramène-t-il beaucoup de captifs?

—Non, ma soeur; Kouckedaoui ne ramène que quelques femmes. Plus occupé de me sauver la vie que de poursuivre ses ennemis, il n'a pas fait de prisonniers.

—Il ramène des femmes, dis-tu?... sont-elles jeunes? fit Malachiteche en jetant sur Dubreuil un regard scrutateur.

—La plupart portent la neige sur leur tête.

La physionomie de la Malicieuse s'était un peu assombrie, elle se rasséréna, mais pour se couvrir aussitôt d'un nuage, alors que Guillaume ajoutait:

—Le chef est bien heureux, car, parmi les captives, il a retrouvé sa femme.

—Quelle femme? s'écria l'Indienne.

—Celle qu'il avait perdue depuis quinze ans, la mère de Toutou-Mak.

—Shananditthit! Mon frère ne dit-il pas qu'il a retrouvé Shananditthit? proféra-t-elle avec des efforts impuissants pour réprimer un tremblement nerveux.

L'altération subite des traits et de la voix de Malachiteche surprit étrangement Dubreuil.

—Ma soeur ne s'en réjouit-elle point? hasarda-t-il, en attachant ses regards sur elle.

Mais la Malicieuse poussa un cri aigu, paraissant en proie à un accès de démence et répétant:

—Kouckedaoui a retrouvé Shananditthit. Malachiteche le savait. Ouaïche le lui avait appris dans un songe. Malachiteche mourra. Ah! malheureuse! malheureuse! malheureuse!

Au contraire, les autres squaws, averties de la nouvelle, faisaient entendre des chants de joie.

Guillaume fut conduit à une tente, ainsi que ses bateliers.

Elle était formée avec de longues perches, écartées d'une vingtaine de pieds par le bas et réunies par le faite autour d'un cercle étroit. Cette charpente avait pour couverture des peaux d'orignaux, ornées de dessins à l'ocre rouge. Un rideau de parchemin tenait lieu de porte.

L'intérieur du wigwam était tapissé de pelleteries. Au centre, trois grosses pierres composaient le foyer.

Après s'être restauré et reposé, Dubreuil sortit pour examiner le campement. Mais il ne remarqua d'abord que des enfants, qui prirent la fuite à son approche, et des chiens d'une espèce magnifique. Ils avaient au moins quatre pieds de long, non compris la queue soyeuse en panache, trois de haut, le pelage onduleux noir ou blanc, ou moucheté de ces deux couleurs. Leur noble tête respirait l'intelligence, quoique le museau, d'un rouge sanglant, annonçât des instincts cruels. Une poitrine large, des membres vigoureux donnaient une haute idée de leur force, et leurs doigts palmés indiquaient qu'ils étaient aussi propres à nager, à pêcher, qu'à courir et à chasser.

C'était cette belle espèce de chiens qui, sous le nom de Terre-Neuve, a été introduite en Europe depuis un siècle et y a rendu tant de services. Il serait même à souhaiter qu'elle y fût multipliée. «Nous n'en voyons aucun individu sur les bords de la mer, de nos grandes rivières, de nos lacs et de nos étangs, où cependant, chaque année, il périt tant d'enfants et de bateaux, les secours ordinaires y étant toujours tardifs et souvent impossibles», dit judicieusement l'auteur du*Nouveau Dictionnaire classique d'histoire naturelle*[28].

[Note 28: Ce même auteur pense que le chien de Terre-Neuve est le «produit d'un dogue anglais» (à poil ras!) «et d'une louve indigène» (à poil court et rude!). Quelle erreur! «L'on assure, ajoute-t-il, qu'il n'existait point lors des premiers établissements de l'Europe moderne!» Autre erreur, non moins grossière. L'espèce canine a, de toute mémoire, été nombreuse en Amérique, où elle pullule depuis l'Océan glacial jusqu'au Pacifique, et depuis l'Atlantique jusqu'au cercle polaire. Les premiers explorateurs européens l'y ont trouvée, et le terre-neuve n'est et ne peut être considéré que comme une variété du chien esquimau.

«Le terre-neuve, écrit John Mac-Gregor, dans sa *British America*, est un animal célèbre et utile bien connu. Ces chiens sont remarquablement dociles et obéissants à leurs maîtres; ils rendent de grands services dans tous les établissements de pêcherie; on les attelé par paire et on les emploie à charrier les provisions de combustible pour l'hiver. Ils se montrent doux, fidèles, caressants, amis sincères de l'homme; au commandement ils sauteront du plus haut précipice dans l'eau et par le temps le plus froid. Leur voracité est remarquable, mais ils peuvent endurer (comme les aborigènes du pays) la faim pendant un espace de temps considérable. On les nourrit ordinairement avec les rebuts du poisson salé. *La race véritable est devenue rare; on la rencontre difficilement.* Ils atteignent à une taille supérieure à celle d'un mâtin anglais, ont une fourrure épaisse, fine, et de couleur variée; mais la noire, qui est la plus recherchée, domine. Le chien, à poil soyeux et court, si admiré en Angleterre comme chien de Terre-Neuve, quoiqu'il soit un animal utile et sagace, hardi et fort amoureux de l'eau, est un croisé. Il semble cependant avoir hérité de toute les qualités de l'espèce véritable. Convenablement domestiqué et éduqué, un chien de Terre-Neuve défendra son maître, grognera quand une autre personne parlera durement à celui-ci, et ne l'abandonnera jamais dans le danger. A l'état sauvage, cet animal chasse en meute. Alors, il est féroce et semblable au loup par ses habitudes. Il aime beaucoup les enfants et s'attache aux membres de la maison à laquelle il appartient. Mais il nourrit souvent une forte antipathie pour un étranger ou ceux qui, en badinant, lui lancent des bâtons ou des pierres. Il n'attaquera pas un chien de taille inférieure, ne se battra pas avec lui; mais il gronde après les roquets hargneux et les jette de côté. Les chats peuvent jouer avec lui, et même se coucher et dormir sur son dos. Mais il est l'ennemi des moutons et n'hésite jamais à les tuer, pour en boira le sang, non pour les manger. Quand il a faim, il ne se fera aucun scrupule de dérober une volaille, un saumon, un morceau de viande. Cependant, il gardera une carcasse de boeuf ou de mouton appartenant à son maître, en éloignera les autres chiens et n'y touchera jamais.

»Les terre-neuve se battent courageusement avec les chiens de leur taille et de leur force. Ils s'élanceront aussitôt dans un combat d'autres chiens pour rétablir la paix. Ces animaux sont vraiment si sagaces qu'il ne leur manque que la parole pour se faire tout à fait comprendre, et ils sont susceptibles d'être dressés aux exercices auxquels sont employées presque toutes les autres variété» de l'espèce canine.»]

Ces superbes animaux commencèrent à gronder à la vue de l'étranger.

Sans s'effrayer de leur démonstration hostile, Dubreuil s'avança vers eux et caressa les moins farouches.

L'un avait au cou un collier en peau de renne, agrémenté de broderies, dans lequel le capitaine reconnut, avec une joie d'enfant ou d'amoureux, une ceinture qu'il avait jadis aperçue à la taille de Toutou-Mak.

Ce devait être le favori de la jeune fille; aussi fut-il choyé à rendre jaloux tout le reste de la meute. Le chien paraissait heureux et fier de ces marques de prédilection. Il regardait affectueusement le jeune homme, se courbait avec volupté sous la main qui lissait ses longs poils frisés, gambadait, jappait, agitait doucement sa queue, appuyait son ventre sur le sol, et se traînait à petits pas vers Dubreuil, en sollicitant, des yeux et de la tête, de nouvelles flatteries, qui lui étaient aussitôt prodiguées sans marchander.

Tout de suite, Guillaume le baptisa Dieppe, du nom de sa ville natale.

Au bout d'un quart d'heure de ces jeux, Dieppe répondait à son appel.

Dubreuil, suivi de l'animal, continua sa promenade vers la branche méridionale de la rivière.

Il faisait un temps délicieux. Au ciel, d'un bleu azuré, folâtraient quelques petits nuages cotonneux, et le soleil, resplendissant dans la céleste coupole, plaquait d'or les larges battures arénacées de la Kitchi-Nebi-Ponsekin, dont les vagues écumeuses, bouillonnantes, étincelaient de feux éblouissants sur les rochers auxquels se brisait leur aveugle colère.

Là commencent les cascades. Sorte de herses en granit, elles s'étendent dans toute la largeur du fleuve et descendent, à travers mille écueils, mille pointes acérées, à plus d'une lieue vers son embouchure. Tantôt elles se présentent sous forme de récif nu, tantôt sous forme d'îlot où verdoient des plantes aquatiques, un pin isolé, à moitié déraciné, en haut duquel le martin-pêcheur lance sa note stridente qui, comme un coup de sifflet dans un concert, perce le grondement harmonieux des eaux; et tantôt elles offrent l'aspect de dalles de marbre poli, du sommet desquelles la nappe liquide se précipite à cinquante ou soixante pieds de profondeur, en soulevant des nuages irisés, semblables à des trombes de poussière de rubis. A quelques pouces du gouffre, ainsi que par magie, cesse l'impétuosité des eaux. Elles s'écoulent limpides, sur un plateau grisâtre. On croirait les voir s'échapper de la source originelle. N'était le fracas assourdissant de la cataracte voisine, vous entendriez leur chant cristallin. Mais avancez un peu: le courant se resserre; de nouveau il se hérisse; il se débat, se tord en convulsions, se lamente aux angles des rochers. Quelquefois, vous le verrez jaillir avec rage contre une arête, s'élever en colonnes de vapeur qui, telle qu'une pluie continue, arrose incessamment les rives abruptes du fleuve, et quelquefois il s'évase, allonge ses plis et ses replis, les courbe par un immense et vertigineux mouvement rotatoire, s'enroule sur lui-même, tourne en rétrécissant progressivement et méthodiquement les spirales, et tout d'un coup plonge, disparaît, se perd dans un trou béant, au centre de ses girations. C'est un pas de vis, un cylindre fluide, mais plus terrible cent fois qu'un cylindre d'acier, car s'il broie impitoyablement ce qu'il saisit, celui-ci en rend les débris, l'autre, rien! il étouffe, il absorbe sa proie tout entière! Et pourtant, au-delà, baisant le cercle le plus excentrique de l'effroyable siphon, l'onde se remet à glisser avec une placidité charmante, qui invite à se bercer, à s'endormir dans son sein! Gaiement elle s'enfuit ainsi, jusqu'à ce qu'elle se heurte, se plaigne encore à d'autres brisants, roule en d'autres abîmes et finisse par reprendre son cours régulier, au pied d'une chute considérable derrière l'île des Grandes-Cascades.

Au point où confluent les deux branches de la Kitchi-Nebi-Ponsekin, les Esquimaux possédaient un établissement de pêche pour le saumon, lequel quitte la mer et remonte les grands fleuves pour frayer vers le milieu de juin.

Cette pêcherie leur était vivement disputée par les Indiens Rouges, qui les en chassaient souvent par la force des armes et s'approvisionnaient de poisson à leurs dépens.

En longeant le bord du fleuve, le capitaine Dubreuil arriva à l'établissement. Les femmes du camp s'y trouvaient toutes réunies. Les unes appendaient, pour les faire sécher, des saumons à de vastes hangars en branches de cèdre; d'autres en boucanaient à la fumée, sur des claies supportées par des pieux, au-dessous desquelles se consumaient lentement des rameaux de pins aromatiques. Un plus grand nombre attrapait le poisson, à l'aide de vastes mannes en osier tendues au milieu même de la cataracte. Ces mannes ressemblaient, proportions gardées, à nos nasses. On les assujettissait à des pointes de rocher, pour les lever quand on les jugeait pleines de saumons. Chacune pouvait contenir une centaine de ces poissons, dont les essaims compactes donnaient à la rivière l'apparence d'un champ de nacre de perle.

Ils affluaient vers la chute, les gros, les femelles en avant, les mâles à la suite, les jeunes à l'arrière-garde, tous cherchant à surmonter l'obstacle, quoiqu'il eût bien cinquante pieds d'élévation. On les voyait bondir, s'appuyer aux pierres, ramasser sous leur corps l'extrémité de leur queue, en faire une espèce de ressort, débander tout d'un coup l'arc ainsi formé, frapper l'eau vigoureusement et franchir la cataracte par une série de sauts successifs.

Entraînés par le flot ou repoussés par les pêcheuses munies de longues perches, ceux qui manquaient leur coup,—et c'était la majorité,—retombaient dans les filets disposés à cet effet.[29]

[Note 29: Les sauvages de la Colombie usent d'un même procédé pour pêcher le saumon.—Voir les Nez-Percés et la Tête-Plate, première partie des DRAMES DE L'AMÉRIQUE du NORD.]

Dubreuil s'amusa longtemps à suivre des yeux le travail des Indiennes, qui déployaient dans leur tâche une activité et une adresse surprenantes.

Vers midi, il déjeuna avec elles. Le menu se composait exclusivement de saumon rôti au feu et d'oeufs de ce poisson confectionnés en gâteau. Pour faire ce gâteau, les oeufs sont broyés entre deux pierres plates et trempés à l'eau. On les recueille ensuite, on les presse avec les doigts dans une poignée d'herbes et on les jette dans un vase rempli d'eau, où on les cuit avec des cailloux chauds plongés dans ce vase, en ayant soin de remuer la pâte pour qu'elle ne s'attache pas au fond. Cette pâte parvenue à l'état de consistance désiré, on en fait une galette, qui se mange sèche ou trempée dans l'huile de phoque. Les Indiens la considèrent comme un grand régal.

Pendant le repas, une des Boethiques demanda en mauvais esquimau à Dubreuil s'il était vrai que Kouckedaoui eût retrouvé Shananditihit.

—Oui, dit-il.

—La ramène-t-il avec lui? continua la questionneuse.

—Sans doute.

—Ah! la pauvre Malachiteche! s'écria-t-elle avec un geste de compassion.

Et les autres squaws, à qui elle avait traduit les réponses de l'homme blanc, répétèrent après elle:

—Ah! la pauvre Malachiteche!

Curieux de connaître la cause de leurs gémissements, Dubreuil dit a son interlocutrice:

—Pourquoi plaignez-vous Malachiteche? Est-ce que les Indiens-Rouges n'ont pas pour habitude de prendre plusieurs femmes?

—Assurément. Mais elle est perdue...

—Ma soeur veut-elle s'expliquer?

—Malachiteche n'a point d'enfants, et Kouckedaoui la répudiera.

—Je ne pense pas. Cette femme est jeune, belle. Elle exercera, ce me semble, plus d'empire sur le chef que Shananditihit.

—Mon frère se trompe. Il ne connaît pas le coeur de Kouckedaoui, repartit l'Indienne, en secouant la tête d'un air convaincu de l'exactitude de ce qu'elle avançait.

—Dans quel but la répudierait-il? fit Dubreuil: Shananditihit serait-elle jalouse?—Certes, elle n'en aurait pas tout à fait le droit, ajouta-t-il intérieurement.

Et, songeant aux nombreux accrocs que la première épouse du chef avait dû faire à la fidélité conjugale, durant sa vie passablement risquée, le capitaine se mit à sourire.

—Shananditihit n'est pas jalouse, mais Kouckedaoui a déclaré que s'il avait le bonheur de la posséder encore, il ne voudrait plus qu'elle pour épouse, à moins qu'une autre femme ne lui eût donné un fils, et Kouckedaoui tiendra sa parole.

La cause du désespoir de Malachiteche, en apprenant le retour de Shananditihit, était maintenant assez évidente et assez plausible.

Dubreuil retourna rêveur à sa tente. Il ne pouvait s'empêcher de déplorer le sort de la belle sauvagesse, que les préjugés de sa race condamnaient désormais au déshonneur.

Huit jours s'écoulèrent, sans ramener les Indiens-Rouges, et sans que le capitaine revît Malachiteche.

Elle restait enfermée dans sa tente, n'y voulant admettre personne, et l'on disait, au camp, que la pauvre femme ne prenait plus aucune nourriture.

Enfin, un messager annonça l'approche des Boethics, qui débarquèrent effectivement, le lendemain, sur l'île des Grandes-Cascades.

Toutes les femmes, parées de leurs plus beaux atours, allèrent, sur la grève les recevoir:—toutes, à l'exception de Malachiteche. Vêtue aussi de ses plus riches pelleteries, de ses magnifiques bracelets de coquillages, et d'un collier de rassade (verroterie), présent de noces de son mari, à qui des blancs t'avaient échangé contre des fourrures, la jeune femme attendit devant sa tente la venue de Kouckedaoui.

En ce peu de temps, ses traits avaient subi une altération profonde. Ses joues, si fraîches naguère, étaient pâles, creuses, ses yeux caves, cernés d'un cercle noir, sa figure émaciée, allongée; sa taille s'était inclinée comme s'incline la fleur sous la tempête; tout en la pauvre affligée exprimait la souffrance morale et physique portée à son point extrême.

Ses yeux ne quittaient pas le rivage opposé à celui où les guerriers avaient atterri. Ils contemplaient avec une passion fiévreuse les cataractes mugissantes, et un léger canot, qui se balançait à une portée de flèche en amont.

Cependant, les acclamations, les cris d'allégresse retentissaient au lieu du débarquement.

Kouckedaoui se dirigea immédiatement vers sa tente, suivi de Triuniak, de Shananditihit, et de Dubreuil accouru à sa rencontre. Une nombreuse troupe d'hommes et de femmes les accompagnait, en remplissant l'air de leurs chants de triomphe.

Seul le chef était triste. Un nuage couvrait son front.

Toutefois, il marcha d'un pas ferme à Malachiteche, et lui toucha l'épaule.

La jeune squaw se retourna. Elle avait les paupières humides de larmes.

—Ah! je sais, dit-elle d'une voix entrecoupée et en baissant la tête.

—Malachiteche, tu fus ma femme, tu ne l'es plus, prononça Kouckedaoui d'un ton brusque.

—Pourquoi mon mari la renvoie-t-il? intervint Shanandithit. Je le prie de la garder. L'en aimerons-nous moins parce que nous serons deux? Non, au contraire. Il sera mieux soigné, son festin sera plus tôt prêt, et jamais sa couche ne sera solitaire.

—Malachiteche n'est plus ma femme! dit froidement le chef.

—Mon maître, je t'en supplie, ne me chasse pas! implora-t-elle.

—Non, ma soeur, non, il ne te renverra point, s'écria la généreuse Shanandithit en se jetant dans les bras de Malachiteche.

Kouckedaoui fronça le sourcil.

—Que cette femme parte! qu'elle quitte la tribu! J'ai promis au Grand-Esprit de n'avoir d'autre épouse que Shanandithit, s'il me la rendait et que je n'eusse point d'enfant mâle de ma troisième femme. Le Grand-Esprit a entendu ma voix. Je n'offrirai pas un honteux spectacle en montrant que Kouckedaoui a une double langue. Que Malachiteche s'éloigne! Ma volonté le commande.

Shanandithit voulut encore intercéder, mais il lui ferma durement la bouche par ces mots:

—Femme, es-tu revenue ici pour discuter les ordres de ton époux?

—Ah! s'écria Malachiteche d'une voix vibrante, Manitou me l'a vit prédit. Que ma destinée s'accomplisse!

Et, d'un bond, avant qu'on eût pu deviner ce qu'elle allait faire, la jeune femme s'élança dans le canot, qu'elle poussa du rivage vers les terribles chutes.

Impossible de s'opposer à son funeste dessein. Il n'y avait pas d'autre embarcation sur ce bord du fleuve, le courant était irrésistible, et les cataractes à deux cents pas à peine.

Debout dans le canot, le dos tourné au gouffre, la Malicieuse se mit à chanter d'un ton mélancolique, en fixant ses yeux sombres sur Kouckedaoui:

«Une nuée a couvert mes jours. Mes joies se sont changées en chagrins.

»La vie m'est devenue un fardeau trop lourd à porter, il ne me reste plus qu'a mourir.

»Le Grand-Esprit m'appelle; j'entends sa voix dans les eaux rugissantes. Bientôt, bientôt, elles se refermeront sur ma tête, et mon chant n'aura plus d'écho.

»Tourne ici tes regards, chef orgueilleux. Tu es intrépide au combat, et tous font silence quand tu parles dans les conseils. De près tu as vu la mort, et tu n'as pas eu peur.

»Tu as bravé le couteau et la hache, et le trait de ton ennemi a passé près de toi sans te faire trembler.

»Tu as vu tomber le guerrier. Tu l'as entendu prononcer des paroles amères en exhalant son dernier soupir.

»Tu l'as vu scalper, encore vivant, par son ennemi, brûler à petit feu sans proférer une plainte.

»Mais l'as-tu jamais vu oser plus que ce que va faire une femme?

»On vante beaucoup tes exploits. Vieux et jeunes répètent tes louanges. Tu es l'étoile qu'admirent les jeunes gens, et ton nom résonnera longtemps sur la terre.

»Mais, en racontant tes prouesses, les hommes diront: «Il a aussi tué sa femme!» La honte jaillira sur ta mémoire.

»Un jour, pendant ton sommeil, une bête féroce allait t'égorger, je l'ai mise à mort. J'ai récolté pour toi les fruits des forêts, je t'ai fabriqué des vêtements et des mocassins.

»Quand tu as eu faim, je t'ai donné à manger, et quand tu as eu soif, je t'ai apporté de l'eau fraîche.

»Si tu m'as commandé quelque chose, ne t'ai-je pas obéi sans murmurer? Kouckedaoui, qu'as-tu à me reprocher?

»Je n'ai point d'enfant. Ah! est-ce là la raison? Kouckedaoui, tu es ingrat. Mais, va, j'aime mieux mourir... même que de vivre sous ta tente, avec une femme que tu me préférerais...»

La voix, qui avait été en s'affaiblissant par degrés, s'éteignit entièrement dans le fracas des eaux.

Les Boethics, hommes et femmes, demeuraient impassibles sur la rive.

Mais le bouillant, l'imprudent Dubreuil n'avait pu assister avec indifférence à ce suicide affreux. Sans réfléchir, sans calculer le danger, il s'était jeté dans le fleuve et nageait vers le canot, c'est-à-dire vers l'abîme!

XVI

MORT DE KOUCKEDAOUI

Essayer de sauver Malachiteche, c'était folie! Les Indiens-Rouges le savaient bien. Tous jugeaient Dubreuil un homme perdu. Cependant Kouckedaoui, qui l'avait pris en une sincère affection, voulut voler à son secours. Shananditthit se cramponna à lui et l'en empêcha, malgré les efforts du chef pour se débarrasser de son étreinte, mais il y avait là un homme que rien, rien que la paralysie complète de ses membres, n'aurait pu arrêter en cette circonstance. Triuniak se précipita dans le fleuve.

Dubreuil approchait déjà du canot, et en même temps, il approchait du gouffre. Le Groënlandais nagea à lui de toutes ses forces. Par malheur, il avait manqué le fil de l'eau qui l'emportait, par un remous, à droite, tandis que le capitaine et l'embarcation étaient entraînés à gauche.

Toute l'habileté de l'Indien tendait à couper obliquement l'intervalle qui le séparait de son ami, mais il était à craindre que, dans le trajet—si court qu'il fût—Triuniak ne fût pousse au-delà de son but, et n'arrivât le premier dans l'abîme.

Spectacle pantelant d'émotion!

Les Boethics, cloués au rivage, le contemplaient toujours avec un flegme profond, quand un quatrième acteur se jeta, à son tour, sur le théâtre du drame:—Dieppe, le chien de Terre-Neuve, devenu le compagnon dévoué du Français.

Ces péripéties diverses s'étaient jouées en une minute à peine, tandis que Malachiteche chantait son chant de mort.

Guillaume atteint le canot, il allonge le bras pour le saisir; les rapides sont tout près, à quelques brasses au plus! Mais la Malicieuse, dont la voix est couverte par le mugissement de la cataracte, la Malicieuse se baisse, ramasse une pagaie et repousse le libérateur, en lui imprimant le bout de cette pagaie sur l'épaule, et en doublant, par cet acte même, la célérité de l'esquif qui disparut presque aussitôt à travers un tourbillon d'écume.

C'en est fait. Plus de remède. Perdue, l'infortunée!

Dubreuil s'est retourné, pour remonter, gagner la rive. Plus puissante que lui, la vague qui bat sa poitrine, fouette son visage. Va-t-il succomber aussi? Sa bravoure, sa généreuse ardeur, les paiera-t-il de la vie? Guillaume sent que sa vigueur l'abandonne. Le désespoir entre en son âme. Du rivage, on le hèle, on l'encourage. Que sont ces faibles voix! elles se noient dans les formidables grondements de la chute. Mais voici une aide, un ami! en voici deux! Au moment de fermer les yeux pour s'abandonner au flot, Dubreuil les a remarqués. Il se ranime, s'accroche d'une main aux longues soies du chien qui lui lance un regard d'intelligence, pivote sur lui-même et refoule le courant en se dirigeant par une ligne diagonale vers le rivage.

Triuniak avait aussi fait une évolution pour prêter son assistance au capitaine, mais ses forces le trahirent; repoussé par le remous dans lequel il s'était engagé, il fut en un clin d'oeil charrié sur les récifs, au moment même où Dubreuil venait de l'apercevoir.

Le Groënlandais est enveloppé dans le linceul liquide, tandis que, plus heureux, Guillaume arrive à la grève, remorqué par son chien fidèle.

Il était épuisé, Kouckedaoui le porta dans sa tente, où il le changea de vêtements et lui fit avaler quelques cuillerées de bouillon de saumon.

—Où est Triuniak s'écria Guillaume, dès qu'il fut un peu remis de ses fatigues.

—Mon coeur est lourd, Innuit-Ili, répondit le chef en inclinant la tête sur sa poitrine.

—Que vas-tu m'apprendre? dit Dubreuil inquiet.

—Triuniak était un brave. Je l'aurais aimé comme mon frère, répondit Kouckedaoui.

—Il est donc...

La voix expira sur les lèvres du capitaine; mais son regard compléta douloureusement sa question.

—Quoi! reprit soudain Guillaume avec amertume, pas Un de vous ne s'est risqué pour aller à son secours!

—Les Boethics sont vaillants au combat, adroits à la chasse, habiles à la pêche, mais ils ne sont pas téméraires, répliqua Kouckedaoui, d'un ton piqué.

—Ah! s'écria Dubreuil, en caressant le terre-neuve qui lui léchait les mains, ah! je ne puis cependant croire que Triuniak ait péri. Il nage mieux qu'un phoque. Je veux examiner le lieu de l'accident. Peut-être retrouverai-je son corps.

—Non, dit l'Indien: ce que prend la chute, elle ne le rend jamais.

—M'accompagnes-tu? demanda le Français.

—Je t'accompagnerai, Innuit-Ili; mais nous ferons une course inutile.

Dubreuil siffla son chien, et ils sortirent.

Comme ils laissaient retomber le rideau de la tente, une femme se présenta à eux tout essoufflée.

—Le Yak a échappé!... il a échappé! criait-elle d'une voix haletante.

—Que veut cette pie babillarde? fit Kouckedaoui, en écartant la squaw.

Mais d'autres Indiennes arrivaient sur ses pas. Elles racontèrent que, s'étant rendues à la tête de la cataracte pour contempler plus à leur aise l'engloutissement de la malheureuse Malachiteche, elles avaient vu Triuniak se débattre dans les rapides et s'accrocher à un rocher sur lequel il se tenait sans pouvoir bouger.

A l'audition de cette nouvelle, Dubreuil et Kouckedaoui s'élancèrent vers la côte. Parvenus au sommet, devant la première rangée d'écueils, ils distinguèrent effectivement le Groënlandais sur un récif que des vagues battaient de partout, à coups redoublés.

Avec ses bras, avec ses jambes, il enlaçait fiévreusement la roche, recevant à chaque seconde d'énormes paquets d'eau qui le submergeaient des pieds à la tête et menaçaient de l'étouffer ou de l'emporter. Sa position ne laissait guère d'espoir, car il était aussi impossible d'envoyer un canot qu'un homme pour le délivrer. Devant lui, une chute de trente pieds, tout autour des vagues courroucées qui se disputaient avec acharnement son corps.

—Ah! il est perdu! murmura Dubreuil.

—Non, s'il peut nous apercevoir, dit Kouckedaoui.

Et se tournant vers une troupe d'individus qui les avait suivis:

—Criez haut, leur ordonna-t-il.

Les Boethics tirèrent de leur gosier une série de notes suraiguës, qui, en toute autre place, eussent déchiré les oreilles des auditeurs, mais ne dominèrent pas sensiblement alors le fracas des eaux.

Par bonheur, toutefois, l'attention de Triuniak en fut éveillée.

Il leva les yeux vers le rivage, distant de lui de quinze à vingt brasses.

Va me chercher mon grand arc et la corde de mon harpon à baleine, dit Kouckedaoui à son plus proche voisin.

Un des Boethics se détacha de la foule des spectateurs et revint, au bout de quelques moments, avec les objets demandés.

L'arc était une arme de siège, aux proportions colossales.

Un frêne, garni de nerfs d'animaux sauvages pour augmenter sa force et son élasticité, en formait le bois, et la corde avait été tressée avec des barbes de baleine. Il fallut six hommes pour bander ce gigantesque instrument.[30]

[Note 30: Recherches sur les antiquités de l'Amérique, par D.-B. WARDEN.]

Quand il fut prêt, Kouckedaoui prit une flèche, y attacha la corde qu'on lui avait apportée, et fit à Triuniak un signe que le Groënlandais comprit sans doute, car il lâcha un moment le rocher du bras droit, et agita ce bras en l'air, pour montrer qu'il en pouvait disposer.

La longue et forte ligne, en filaments d'écorce et tendons de bêtes fauves, fut convenablement levée sur le sol, Kouckedaoui ajusta sa flèche et la décocha.

Dirigé par une main sûre, le trait alla tomber à quelques pieds derrière Triuniak, en entraînant la corde, que les flots chassèrent aussitôt contre le Groënlandais.

—Il est sauvé! s'écria Dubreuil, enchanté de la réussite de cet expédient, auquel il n'aurait probablement pas songé.

—Mon frère a trop de feu dans le sang, fit le chef indien de son ton froidement railleur.

—Eh! repartit Guillaume avec vivacité, ce que je ressens, joie ou douleur, je le montre!

—Mauvais! mauvais! marmotta le sauvage, en roulant à son poignet l'extrémité de la ligne.

Triuniak s'était attaché l'autre extrémité autour de la ceinture, et de la flèche s'était fait une pique.

Kouckedaoui lui adressa un nouveau signal, puis il commença à remonter lentement le fleuve, suivi de Dubreuil et de quelques hommes pour le seconder, s'il était besoin. Le câble se tendit. Triuniak planta sa pique au fond de l'eau qui n'avait, sur les rapides, qu'une demi-toise environ de hauteur. Ensuite, il quitta la dangereuse attitude qu'il occupait contre le rocher; et, se soutenant à la pique, s'avança de profil, contre le courant, en lui offrant le moins de prise possible. A cet endroit, la surface réelle de la rivière atteignait tout au plus à sa poitrine. Mais telle était la violence des vagues, qu'elles bondissaient, à chaque instant, par-dessus sa tête, sans lui laisser le temps de respirer. Si le passage eût été long, il ne s'en serait jamais tiré vivant. Mais il n'avait qu'une vingtaine de pieds, après quoi l'eau redevenait profonde, on laissait les brisants derrière soi, et il n'y avait plus qu'à lutter contre un courant puissant, mais calme, pour gagner la plage.

Sorti de ce mortel défilé, Triuniak était hors de péril. Il se mit à nager, et, avec la corde, il fut halé sur la grève. Quelques minutes de plus, et l'on n'aurait ramené qu'un cadavre, car le pauvre homme, à bout de forces, avait le corps labouré des blessures qu'il s'était faites en se cramponnant aux angles du rocher.

On le transporta dans une tente, où Dubreuil pansa ses plaies et lui donna tous les soins que réclamait sa pitoyable condition, pendant que les Indiens-Rouges se reposaient, par un brillant assaut de gloutonnerie, des fatigues ou des émotions que leur avait produites cette mémorable matinée.

Sur le soir, le bouhinne des Boethics vint avec Kouckedaoui visiter le malade.

—Mon frère, dit le chef, servant d'introducteur et d'interprète au premier, voici notre médecin qui te guérira.

—Je n'ai aucun présent à lui faire, répondit Triuniak.

—Moi, je lui donnerai pour toi ce qu'il demandera.

—Mon frère, tu es bon.

—Où sens-tu le mal? continua Kouckedaoui.

Triuniak montra son côté. Le bouhinne alors s'approcha du malade en psalmodiant et en faisant des grimaces et des contorsions. Il souffla à plusieurs reprises sur la partie affectée, recula, et ficha en terre un bâton auquel pendait une cordelette, avec un noeud coulant dans lequel il passa sa tête, comme s'il se voulait étrangler.

Les grimaces, les contorsions, les incantations recommencèrent de plus belle, le jongleur, écumant et tout en eau, s'écria:

—L'Esprit malin est descendu! je le tiens!

Kouckedaoui s'empressa de traduire ces paroles à Triuniak.

—Oui, j'ai surpris Tchougis! il est là, enchaîné, poursuivit le magicien en montrant sa corde.

Et il donna l'ordre de faire entrer les Boethics qui entouraient la tente et attendaient avec anxiété le résultat de l'opération.

Ils accoururent en foule. Le sorcier coupa un bout de sa corde, déclarant que c'était le diable en personne. On se serait bien gardé de le contredire. Il jeta dans le feu le morceau de corde et annonça que Triuniak guérirait. Chacun des assistants fit alors des offrandes au bouhinne pour lui témoigner sa reconnaissance. Cependant, avant de se retirer, il étala les amulettes qui emplissaient son sac à médecine, parut les consulter très-sérieusement et ordonna au patient un bain de vapeur.

Le contenu de ce sac à médecine excita la curiosité de Dubreuil, qui avait remarqué que ceux des angekkok groënlandais ne renfermaient généralement que des griffes d'oiseaux et des dents de requin.

En voici l'inventaire:

1° Une pierre noire de la grosseur d'une noix, placée dans une boîte que le bouhinne appelait la maison de son Tchougis.

2° Une feuille d'écorce roulée, représentant une figure hideuse, dessinée au moyen de petits coquillages,—le portrait du Maître Diable.

3° Un arc d'un pied de longueur, avec une corde en poil de porc-épic.

(Dubreuil apprit plus tard que c'est de cet arc fatal que les jongleurs boethics se servent pour faire mourir les enfants dans le sein de leur mère!)

4° Une deuxième bande d'écorce, enveloppée d'une peau délicate et fort mince, sur laquelle étaient peints divers animaux.

5° Un bâton, long d'un pied, garni de porc-épic blanc et rouge, au bout duquel étaient attachées plusieurs courroies.

6° Deux douzaines d'ergots d'orignal, en guise de sonnettes.

7° Un oiseau de bois, destiné à favoriser la chasse.

8° Deux têtes de saumon desséchées, jouissant de la précieuse propriété de faire abonder le poisson sur les cours d'eau où elles sont exposées.

Jamais fétiches n'inspirèrent plus de vénération à des brahmines que ces amulettes aux Indiens-Rouges. Quand le bouhinne les eut rentrées dans leur châsse de peau de caribou, les Boethics prirent Triuniak et le portèrent à la *cabane aux sueries.*

C'était une tente hermétiquement fermée, dans laquelle on plaça plusieurs cailloux rougis au feu et de grands vases remplis d'eau. Le malade devait verser l'eau sur ces pierres et obtenir ainsi la vapeur nécessaire à la balnéation. On connaît les excellents effets de cette médication, usitée depuis un temps immémorial dans le nord de l'Asie et de l'Amérique.

En sortant de la cabane aux sueries, Triuniak courut se plonger dans le fleuve, et, dès le lendemain, il put accompagner les Indiens-Rouges, qui avaient levé les tentes, embarqué le poisson, et retournaient à leur oudenanc (village) de Baccaléos.

La troupe était montée sur une vingtaine de grands canots, dont une partie, avec les effets de campement et les provisions, conduite par les femmes.

Kouckedaoui avait installé Dubreuil et Triuniak dans sa propre embarcation, que décoraient de nombreux et horribles trophées de guerre:—des chevelures enlevées soit aux Mic-Macs, soit aux Esquimaux.

Le troisième jour après leur départ de l'île des Grandes-Cascades, les Indiens-Rouges établirent des mâts dans leurs chimans, et y fixèrent de petites voiles triangulaires en parchemin. Une pagaie, godillée à l'arrière, tenait lieu de gouvernail.

La flottille allait doubler le cap qui commande l'embouchure du fleuve, dans le bras de mer que nous nommons aujourd'hui détroit de Belle-Isle. Ces parages, constellés d'îlots, de rochers à fleur d'eau et de bancs de sable, offrent beaucoup de dangers à la navigation.

On y arriva dans la soirée, et Kouckedaoui se proposait de camper sur quelque îlot, dès que le soleil serait couché, pour traverser le détroit de bonne heure le lendemain. Son canot marchait en tête. Il le pilotait lui-même, et ses yeux parcouraient rapidement, avidement l'archipel, aux pittoresques découpures, aux opulentes frondaisons, qui se déroulait devant eux. Rien cependant ne paraissait propre à inspirer de l'inquiétude. Le firmament avait cette sérénité, cette profondeur qui, sous le rigoureux climat de l'Amérique septentrionale, rappellent le beau ciel d'Italie, la brise, toute parfumée, de senteurs marines, ronflait gaiement dans les voiles, et l'on n'entendait d'autre bruit que le frou-frou du canard noir labradorien s'élevant de son nid à l'approche des canots, ou le gazouillement de la grive, perchée à la cime d'un arbre, au bord de la mer, et lançant avec extase quelques sons rares, mais si précis, si harmonieux, dont la symphonie a tant de rapports avec les sons d'une flûte ou avec le tintement d'une clochette d'argent![31]

[Note 31: Voyez l'*Ornithologie d'Amérique*, par A. WILSON.]

Dans ce gracieux tableau que nous esquissons faiblement, y avait-il sujet de répandre sur l'esprit l'ombre d'une crainte? Et pourtant Kouckedaoui était soucieux. Il ordonna aux autres canots de se grouper autour du sien et à ses gens d'apprêter leurs armes. C'est qu'en côtoyant le rivage d'une île, son oeil avait vu ce que l'oeil de Guillaume n'aurait certainement pas découvert,—la trace du glissement d'un kaiak sur un banc de sable que la marée avait maintenant recouvert de dix pieds d'eau; c'est que, dans l'atmosphère qui semblait si pure, cet oeil de lynx avait encore vu une imperceptible spirale de fumée.

—Mon frère redoute-t-il donc un ennemi? fit Dubreuil en cherchant vainement ce qui excitait la défiance du chef boethic.

—L'homme doit être comme le renard, toujours veiller, dit sentencieusement Kouckedaoui.

—Mais quel danger courons-nous ici?

—Le danger, mon frère, est ton plus fidèle compagnon. Ne le quitte jamais du regard, car lui ne cesse jamais de te guetter.

Et s'adressant à Triuniak, qui respirait l'air comme un chien flairant une pièce de gibier, il ajouta:

—Mon frère ne fume pas d'habitude?

—Non, dit le Groënlandais.

—Alors mon frère doit plus qu'un autre être sensible à l'odeur du sema[32].

[Note 32: Tabac.]

—Je sens une odeur acre, mais je ne sais pas ce que c'est que le sema, repartit Triuniak.

Kouckedaoui prit son calumet, puis la bourse où il serrait son tabac, et les montra à l'Esquimau.

—Oui, dit celui-ci, l'odeur que je respire est celle de la plante que tu m'as fait fumer à notre première entrevue.

—Du diable! si je sens d'autre parfum que celui des algues et des varechs qui tapissent ces bords, pensait Dubreuil.

—Eh bien, reprit Kouckedaoui, cette odeur c'est celle du sema. J'en ai distingué la fumée, il n'y a qu'un moment. Quoiqu'un fume dans cette île, à notre-droite. Ce ne peut être un ami, car il se cache, c'est donc un ennemi.

Comme il achevait cette réflexion avec l'inflexible logique particulière aux races nomades, une grêle de flèches assaillit la flotte à bâbord. En même temps, une escadrille de kaiaks et de konés débouquait des îles situées à tribord.

Aussitôt, par une manoeuvre adroite et très-prompte, les canots des femmes boethiques vinrent s'embosser au milieu de ceux des hommes, qui abattirent leurs voiles et présentèrent un double front de bataille. Ces mouvements furent exécutés au milieu de cris affreux, mais sans confusion et avec un ordre qui prouvait que les Indiens-Rouges en avaient la grande habitude. On eût dit que l'archipel avait été soudainement envahi par une légion échappée de l'enfer.

—Les flèches enflammées! aux flèches enflammées! ordonna Kouckedaoui à ses gens, qui avaient déjà vaillamment riposté.

Et, pour payer d'exemple, le chef choisit dans le faisceau de ses armes un trait garni près de la pointe d'une touffe de mousse imbibée d'huile, puis il battit du briquet avec deux pyrites de fer, alluma cette mèche et décocha le trait contre un koné à dix pas de lui. Couverte de peaux grasses, l'embarcation prit feu avant même que ceux qui la montaient eussent eu le temps d'éteindre la flèche. Les vociférations redoublèrent. Aux naissantes ombres du crépuscule, la mer ressembla bientôt à une vaste fournaise, les Indiens-Rouges ayant porté l'incendie dans l'armée navale de leurs ennemis, et jusque dans l'île d'où était partie l'attaque.

Le grésillement des matières oléagineuses, le craquement des pins auxquels la flamme s'élançait en girandoles immenses; les torrents de fumée montant par épais tourbillons vers le ciel, ces étranges silhouettes, si fortement accusées, d'un côté d'hommes nus, de l'autre d'hommes emprisonnés dans des peaux velues qui leur donnaient l'aspect d'animaux d'une espèce singulière; ces bateaux plus étranges encore, cette animation, ces clameurs, les gémissements des blessés, le râle des mourants, et, comme encadrement, cette nature sauvage, illuminée par les fulgurantes clartés de la conflagration, ressemblaient bien plutôt à une scène surnaturelle qu'humaine, bien plutôt au cauchemar d'un halluciné du moyen-âge qu'à une terrestre réalité.

Le canot de Kouckedaoui était au premier rang; le chef, Triuniak et Dubreuil ne cessaient de lancer des dards et des javelines aux Esquimaux. Telle était leur ardeur, qu'ils ne firent pas attention à un petit kaiak qui paraissait chaviré et naturellement poussé vers eux par le reflux. Il vint ainsi tourner leur proue et, tout d'un coup, se redressa, comme mu par un ressort.

Surgissant des flots, ainsi qu'un monstre marin, un hideux Uskimé, faisant corps avec l'esquif, parut armé d'un trait dont il frappa Kouckedaoui.

—Ah! le traître m'a tué! dit le chef en s'affaissant.

—Nous te vengerons, mon frère! s'écria Triuniak, assénant à l'Esquimau un coup de hache qui lui fendit le crâne.

—Je meurs, dit Kouckedaoui! mais la victoire est à nous!... Cependant, faites que ma mort soit ignorée jusqu'à ce que nos ennemis aient pris la fuite... Innuit-Ili, ne laisse pas enlever ma chevelure par ces vautours... tu m'entends...

Sa voix s'affaissait de plus en plus.

—Ta main, Innuit-Ili... ajouta-t-il, donne-moi ta main...

—La voici! s'écria Dubreuil, agenouillé près de lui dans le canot.

—Je ne la sens pas... La mort arrive.... mes yeux se brouillent... Innuit-Ili!...

—Je suis là, mon père, fit le jeune homme d'un ton ému.

—Innuit-Ili, tu ramèneras mon cadavre à l'oudenanc...

—Je te le jure!

—Et... tu épouseras...

Un accès de suffocation lui coupa la parole.

—Tu peux en emporter la conviction! répondit Guillaume, comprenant la pensée du moribond.

Celui-ci s'agita deux ou trois fois dans un tremblement convulsif, puis, se levant soudain sur son séant, il s'écria après avoir jeté un regard sur les Esquimaux en déroute et vivement pressés par les Indiens-Rouges:

—Nous sommes vainqueurs! On dira que Kouckedaoui était un brave guerrier!

Et son corps retomba comme une masse de plomb dans le canot.

XVII

RETROUVÉE

La chute de la nuit ramena les Indiens-Rouges de leur poursuite. Ils revinrent chargés de prisonniers et de dépouilles hideuses. La mort de Kouckedaoui changea en lamentations les éclats de leurs voix triomphantes. Dans l'excès de sa douleur, Shananditith voulait se suicider. Ou arrêta sur son sein la javeline meurtrière.

Les Boethics débarquèrent sur une île où ils allumèrent de grands feux, autant pour sécher et faire boucaner leurs horribles trophées humains, que pour se chauffer, car le froid était assez vif. Des sentinelles furent postées tout autour du camp; on attacha les captifs à des poteaux, sous une bonne garde, et le premier accès de chagrin causé par la mort du chef s'étant calmé, chacun conta ses récents exploits. Les sensations des Indiens ont une mobilité égale à leur vivacité. Un philosophe célèbre l'a justement dit: «ils vivent tout en sensations, peu en souvenir, point en espérance.» Ils pleurent et rient avec une égale facilité, sautant de la joie la plus bruyante, à la tristesse la plus silencieuse, et quoi qu'en aient certains candides partisans de l'homme à l'état de nature, ils sont, en général, de fieffés hypocrites.

Dubreuil avait déjà eu occasion de faire plus d'une fois cette observation chez les Groënlandais; mais les Boethics l'emportent de beaucoup sur ceux-ci en fausseté. Vantards, menteurs, féroces, ils mettent toutes leurs facultés au service de ces trois vices. L'ostentation, le désir de briller aux dépens des autres composent le fond de leur caractère. Aussi fallait-il les entendre renchérir sur leurs prouesses personnelles durant la lutte et se flatter d'écraser bientôt, d'annihiler ces «perfides et pusillanimes Esquimaux dont tout le courage consistait à dresser des embuscades, et qu'ils auraient scalpés jusqu'au dernier, sans la trop prompte arrivée des ténèbres.»

Leurs discours, leurs chants se prolongèrent fort avant dans la nuit. Insensiblement toutefois ils cédèrent au sommeil.

Seul, le capitaine Dubreuil ne dormait pas. Les émotions, une affliction profonde le tenaient éveillé près du cadavre de Kouckedaoui. Comme il contemplait avec une mélancolie rêveuse le sombre azur du firmament, les signes précurseurs d'une aurore boréale y firent leur apparition.

Au sud se déploya une immense arcade, blanche comme l'argent poli, tandis qu'au nord se superposaient plusieurs courbes concentriques, toutes coupées en deux parties exactement semblables par le plan du méridien magnétique, et inondant la voûte céleste de torrents de clarté. A chaque moment, des lueurs brillamment colorées traversaient l'espace sombre entouré par ces arceaux sur lesquels voltigeait, de côté et d'autre, une fulguration éblouissante, vacillant dans sa course et multipliant à l'infini ses zones capricieuses. Peu à peu les rayons augmentèrent, s'approchèrent du zénith avec un redoublement de vitesse, et se réunirent en un faisceau de pierreries. Tout d'un coup l'hémisphère entier on fut sillonné, et, comme le bouquet dans un feu d'artifice, apparut la *couronne de l'aurore boréale,* spectacle qui défie toute description. L'intensité de la lumière, le sombre prodigieux et la volatilité de ces traits de feu, le mélange grandiose de toutes les couleurs du prisme à leur plus haute magnificence, diapraient le dais éclatant des cieux et offraient une scène à la fois effrayante, enchanteresse et sublime. Mais la merveilleuse beauté de cette scène ne dura qu'une minute. L'émail des tons se dégrada, les rayons cessèrent leur mouvement latéral et se transformèrent en scintillante irradiation, avec un pétillement pareil à celui d'une fusée. Malgré la soudaineté de l'effulgescence, elle fut d'une incomparable splendeur à la dissolution de l'aurore, qui s'accomplit avec une régularité extraordinaire.

Dubreuil était dans l'extase; il avait remarqué une boule ignée qui courut apparemment de l'est à l'ouest et réciproquement, avec une telle rapidité, que ce double trajet n'en sembla faire qu'un, l'un après l'autre, elle alluma sans doute les divers rayons: ils étaient rangés dans l'ordre le plus régulier, en sorte que la base des chacun d'eux composait un cercle croisant le méridien magnétique à angles droits. Les différents cercles s'élevèrent successivement, de façon que les plus voisins du zénith paraissaient séparés par un intervalle plus grand que ceux proches de l'horizon, indice à peu près certain que leur distance réelle était tout à fait la même.

Ravi par le météore, le plus beau en ce genre qu'il eût jamais admiré, même au Succanunga, le capitaine Dubreuil avait presque oublié l'étrangeté de sa situation. Shanandithit, qui veillait à côté de lui près du corps de son mari, la lui rappela.

—Je suis contente, dit-elle. Le Grand Esprit a éclairé son *spimia kakoum* [33] pour recevoir Kouckedaoui. Maintenant j'ai séché mes larmes. Je puis reposer. Que mon frère fasse comme moi!

[Note 33: Ciel, terre d'en haut.]

Et l'Indienne s'endormit, le coeur allégé par la satisfaction de ses sentiments superstitieux.

Le lendemain cependant, au point du jour, les cris du désespoir s'élevèrent de nouveau dans le camp. L'usage le commandait: chacun hurlait ou gémissait. Le bouhinne trouva même mauvais que Dubreuil ne suivît pas l'exemple général, il lui reprocha vertement sa froideur.

Mais l'intention d'indisposer les Boethics contre l'étranger était la cause unique de ce reproche, car, au fond, il n'avait jamais eu grande affection pour le défunt, à qui il ne pardonnait pas de lui avoir enlevé l'homme blanc.

Guillaume se moqua des récriminations du sorcier; mais Triuniak l'engagea à plus de modération, de crainte qu'il ne leur advint malheur.

—Tu as, mon fils, lui dit-il, la promptitude de la flèche qui part d'un arc. Cela nuit à ton courage. Ici, nous devons nous comporter avec prudence, parce que nous sommes au milieu de gens cruels qui nous égorgeraient sur le moindre soupçon. Notre ami et notre défenseur mort, il faut ruser avec eux si nous voulons arriver sains et saufs à leur village.

—Ah! s'écria Dubreuil, la ruse, la fausseté ne me conviennent pas.

—Quand on est le moins fort, on tâche d'être le plus habile.

—Où veux-tu en venir? repartit le jeune homme impatienté.

—Fais comme moi. Je ne connais pas et je n'aime pas le Manitou des Indiens-Rouges, mais, étant avec eux, j'ai l'air de le connaître et de l'aimer.

Dans mon pays, on dit que quand on est avec les loups il faut hurler avec eux, reprit Dubreuil en souriant.

—C'est cela, mon fils, et c'est ce que je voudrais te voir pratiquer.

A ce moment, leur entretien fut interrompu par les femmes boethiques, qui venaient chercher le cadavre de Kouckedaoui pour l'ensevelir. Il fut lavé dans la mer, peint de couleurs fraîches et placé nu dans une sorte de cercueil en écorce, fabriqué expressément pour cet usage.

Pendant que leurs squaws vaquaient à ces occupations, les hommes recueillaient et faisaient fondre de grandes quantités de résine. La bière et son contenu furent posés gros du feu, et on la remplit de résine liquide afin de pouvoir conserver le corps jusqu'au jour des obsèques, qui devaient avoir lieu au village, éloigné de plus de dix journées.

Inutile de répéter que ces cérémonies s'accomplirent, au milieu des chants et des gémissements.

Le liquide refroidi, figé, on porta le cercueil dans le canot du chef, et le bouhinne en voulut chasser Dubreuil.

—Dis-lui que je ne m'en irai pas, ordonna celui-ci à l'homme qui leur servait d'interprète.

—Non, cède, mon fils, intervint Triuniak.

—Moi, céder à ce charlatan! jamais!

—Je veux que tu sortes, enjoignit le bouhinne.

—Non, je ne sortirai pas.

—Tu nous exposes, dit Triuniak...

—Kouckedaoui m'a commandé avant de mourir de le ramener à l'oudenanc; je le lui ai promis, je tiendrai ma parole, interrompit Dubreuil d'un ton ferme.

Ces paroles ayant été traduites au magicien, il se mit en fureur:

—L'homme blanc a la langue crochue; il ment! s'exclama-t-il.

—Ah! je mens! qu'il ose dire encore que je mens! riposta le capitaine bouillant de colère.

—Du calme, mon fils! disait Triuniak en le retenant; du calme! Ne vois-tu pas qu'il cherche une excuse, un prétexte pour te frapper?

Dubreuil était trop irrité pour écouter la voix de la raison. La discussion allait dégénérer en une rixe, qui aurait pu être fatale aux deux adversaires, quand le chef appelé à succéder au défunt s'interposa.

Il s'avança entre eux et dit:

Kouckedaoui a-t-il confié à Innuit-Ili le soin de son corps?

—Oui, dit Triuniak, j'étais présent, j'ai entendu.

—Quelle valeur a l'affirmation d'un étranger, d'un Yak! fit le bouhinne d'un air méprisant.

Triuniak reçut l'insulte avec un flegme imperturbable.

—Cette affirmation peut être vraie, et je la crois telle: je sais combien Kouckedaoui aimait son ami blanc, reprit le jeune chef.

—Oui, elle est vraie, s'écria Shananditiit; j'ai entendu Kouckedaoui faire la recommandation à Innuit-Ili, car mon canot était proche du sien.

—La parole de ma soeur est décisive! dit le chef.

—Bien, marmotta le bouhinne entre ses dents, j'abandonne le canot. Que ce blanc, l'ennemi de notre race, y monte! On ne me verra pas aux funérailles de Kouckedaoui. Et le courroux du Tchougis s'appesantira sur les Boethics.

Cela dit, il se retira fièrement et s'embarqua dans son propre chiman.

La flotte remit à la voile. Favorisée par une belle brise nord-est, elle traversa le détroit en quelques heures, et mouilla dans l'anse aux Sauvages, sur la côte occidentale de Baccaléos ou Terre-Neuve[34].

[Note 34: Pour la clarté de mon récit, on me permettra de donner désormais aux localités les noms sous lesquels les désignèrent, un peu plus tard, les navigateurs européens.—Voyez les cartes de l'île de Terre-Neuve par Champlain (édition Tross), Charlevoix, J. Mac-Gregor, Montgomery Martin, Brué, etc.]

Possédant un établissement de pêche au fond de cette anse, les Boethics y firent escale, pour en charger les produits sur leurs canots.

Comme on ne devait repartir que le jour suivant, Dubreuil résolut d'explorer le littoral. Il s'éloigna, muni de ses armes et accompagné de son chien. Le temps était sombre, brumeux. Tout en levant des plans et en prenant des notes, notre Français s'amusait à tuer des outardes, si nombreuses en ces parages. Il en avait fait bonne provision et retournait au camp, lorsque son chien donna tout à coup de la voix et mit sur pied un renard bleu. Les Indiens rouges, comme les Esquimaux du sud, faisaient grand cas de la robe de cet animal. Ils la mettaient au-dessus de toute autre pelleterie.

Quoique la nuit approchât, Dubreuil ne put résister au désir de poursuivre le renard. Il se jeta donc dans une épaisse futaie d'épinettes, de platanes et de bouleaux, et s'y enfonça, pour chercher une éclaircie et y attendre la bête que Dieppe ne manquerait pas de lui ramener. Il n'en trouva point, et quand il voulut revenir, la chasse étant partie au loin, il s'aperçut, non sans émoi, qu'il s'était égaré. Guillaume essaya de s'orienter, par l'examen de la mousse au tronc des arbres, car la mousse envahit, comme on le sait, les parties exposées au nord, tandis que celle du sud restent sèches et lisses. Mais ce moyen même lui fit bientôt défaut; les ténèbres tombèrent avec rapidité et le forcèrent de suspendre sa marche.

Las, physiquement et moralement, Dubreuil s'assit au pied d'un pin, résolu d'y demeurer jusqu'à ce que l'apparition des étoiles ou le retour de Dieppe lui permît de reprendre sa course:—l'un ou l'autre pouvant lui servir de guide. Mais les étoiles ne se montrèrent pas et Dieppe ne revint que le lendemain matin, au moment où le capitaine se remettait en route, harassé par une nuit que le hurlement des loups et le grognement des ours avaient tout autant troublée que l'inquiétude.

Grâce au chien, il retrouva aisément sa piste. Il accéléra le pas pour arriver à la pêcherie avant le départ des Boethics; des craintes sérieuses assiégeaient l'esprit du pauvre jeune homme. Elles ne se réalisèrent que trop, l'établissement était libre lorsqu'il l'atteignit.

Guillaume Dubreuil fut, un instant, saisi de stupeur: seul, ou plutôt entouré d'ennemis, sur une terre inconnue, froide, d'une fertilité médiocre, et sans autres ressources pour se protéger, pour le nourrir, qu'un arc, quelques flèches et une hache de pierre!

Mais le capitaine avait la trempe de l'acier: son esprit était souple comme un ressort. Il rebondit bien vite, et Dubreuil examina sa position avec son sang-froid ordinaire. D'après les informations qu'il avait recueillies, et d'après ses calculs, l'île pouvait avoir cent cinquante lieues de long, sur soixante-dix de large, et le lac de l'Indien-Rouge était, en ligne directe, situé environ au tiers de sa longueur, ou à une quarantaine de lieues de l'anse aux Sauvages. Le village boethic s'élevait sur la pointe occidentale de ce lac. S'y rendre n'eût donc pas été une entreprise bien difficile pour un homme en bateau. Mais Dubreuil n'en avait pas. Derrière les Indiens il n'était resté aucune embarcation. Ils avaient tout emmené. Tenter le voyage par terre, c'était une entreprise hasardeuse. Comment traverser ces bois si fourrés, ces marais, ces fleuves dont l'île paraissait couverte?

—Restaurons-nous d'abord, et nous réfléchirons ensuite à notre aise, car estomac creux fait cerveau vide, se dit Dubreuil, en soufflant sur quelques tisons, provenant des feux que les sauvages avaient allumés la veille.

Si rien n'est propre à ragaillardir un homme abattu, affamé, comme la flamme pétillante et aromatique du bois de pin, il est peu de mets qui le réconfortent et le mettent mieux en belle humeur qu'une bonne oie grasse, rôtie à la chaleur de cette flamme.

Après avoir apaisé sa faim et reposé ses membres, Dubreuil se leva. Il avait pris la détermination de suivre à pied le bord de la mer, comme devant lui offrir plus de ressources pour subsister.

La hauteur et l'escarpement des falaises ne tardèrent pas à modifier son itinéraire. Il pénétra dans l'intérieur de l'île, passant tantôt à travers des halliers épais de genévriers, tantôt des marécages ou des prairies basses, tantôt escaladant des collines, et tantôt franchissant des rivières à la nage. On ne rencontrait aucun serpent, aucun reptile venimeux. La chasse pourvoyait abondamment aux besoins du jeune homme; l'eau ne lui manquait pas. Mais des myriades de moustiques et de maringouins lui faisaient, jour et nuit, une guerre impitoyable. Ni la fumée de son camp, ni la graisse dont il s'oignait le corps en se couchant, ne le mettaient à l'abri de leurs irritantes obsessions. Il avait le visage et les mains boursouflées de pustules, qui le faisaient cruellement souffrir.

Un soir, le hardi pionnier avait établi sa hutte sous une haute montagne porphyritique, de laquelle descendait bruyamment un ruisseau torrentueux. Au pied, comme une coupe d'émeraude, s'arrondissait un petit lac, encaissé dans une pelouse du plus beau vert.

Dubreuil s'évertuait à harponner, avec une flèche, de superbes truites, qu'on voyait frayer sur le sable, au bas de la chute. Tout à coup, ses yeux distinguent au fond de l'eau un objet brillant. Il plonge le bras et retire une pépite d'un jaune éclatant et de la grosseur d'une noix. Il la frotte sur son vêtement, l'examine... c'est de l'or, de l'or pur! Le ruisseau en charrie des quantités soit en grains, soit en paillettes, Dubreuil est enchanté, émerveillé, ébloui. Il en ramasse, en ramasse encore; des rêves insensés enflamment son cerveau, enfièvrent son corps. Millionnaire! il y a de quoi perdre la tête!

Mais le voici qui rejette ces trésors et s'écrie dans un rire ironique:—Ah! pauvre niais! De quoi te serviraient toutes ces richesses? A te charger inutilement. Une de ces excellentes truites ferait assurément bien mieux ton affaire!

Et tout l'or retourna sur le lit du torrent, à l'exception de quelques parcelles, que le jeune homme garda par curiosité. Pourtant, son sommeil fut agité, la nuit suivante. Il eut des rêves fantastiques de palais merveilleux, de fêtes féeriques, de femmes mille fois belles et voluptueuses. Et, le lendemain, il ne reprit pas son voyage sans adresser un coup d'oeil de regret à cette mine précieuse.

—Puisse-je revenir ici quelque jour! pensa-t-il tout haut.

—Le blanc! le blanc! Les blancs reviendront! Je l'ai prédit: ils reviennent! cria, en langue Scandinave, une voix derrière lui.

Guillaume avait appris cette langue au couvent des Bénédictins. Tremblant de surprise et de joie, il leva la tête en disant:

—Un Européen! où êtes-vous?

Et la même voix répéta;

—Le blanc! le blanc! Les blancs reviendront! Je l'ai prédit: ils reviennent!

Tournant les yeux du côté d'où partait Je son, Dubreuil aperçut alors une espèce de singe, à longue Barbe, perché au sommet d'un arbre.

—Qui êtes-vous? demanda-t-il.

Mais, pour la troisième fois, la voix redit:

—Le blanc! le blanc! les blancs reviendront! Je l'ai prédit: ils reviennent!

Puis, l'être bizarre qui proférait ces paroles se laissa glisser du haut de l'arbre à terre, avec l'agilité d'un chat, jeta un regard curieux au Français, et s'enfuit dans le bois, en recommençant son cri.

—Voilà, se dit Dubreuil, une étrange aventure et une créature plus étrange encore. Que peut être cet individu?

—Ni un Esquimau, ni un Boethic, assurément, car les uns et les autres n'ont point de barbe. Ils s'épilent avec des coquilles.—Un Européen? ce n'est pas probable. Il m'a paru nu comme un ver et noir comme un corbeau. Serait-ce une espèce d'animal que je ne connais pas? une sorte de perroquet répétant, comme ceux d'Afrique que j'ai vus au monastère, tout ce qu'ils ont entendu dire? Cependant Kouckedaoui ou les gens que j'ai interrogés sur les productions de cette île m'en auraient parlé. Voyons cet arbre; peut-être me renseignera-t-il.

Il s'approcha de l'arbre et remarqua que son tronc était percé de plusieurs trous, par lesquels coulait, dans de petits baquets posés au pied, une sève jaunâtre et visqueuse.

Dubreuil y trempa son doigt et le porta à ses lèvres.

—Par Notre-Dame de Bon-Secours! mais c'est du sirop de sucre! le gaillard n'est pas dégoûté. Je conserverai bon souvenir de cet arbre, qui ressemble, à s'y méprendre, à notre érable français.[35]

[Note 35: C'était l'*acer saccharinum* de l'Amérique septentrionale. On le trouve à Terre-Neuve, mais il y est peu abondant.]

En prononçant ces mots, il prit un des augets et en but le contenu avec délices.

—Décidément, ce n'est pas, ce ne peut pas être un animal que celui qui a trouve le moyen de se distiller une aussi agréable boisson, reprit-il en faisant claquer sa langue contre son palais. Ah! il faut que je rattrape mon homme!

Plein de cette idée, Dubreuil s'élança sur les pas du fugitif, en animant son chien du geste et de la voix. Mais Dieppe qui, contrairement à ses habitudes, n'avait ni grondé, ni paru surpris à la voix de l'étranger, Dieppe ne courut pas plus vite que son maître.

—Ah! une piste, s'écria celui-ci, en tombant sur un sentier frayé, qui débouchait près du petit lac.

Il s'y enfila, et toute la journée redoubla d'ardeur, sans toutefois pouvoir parvenir à rejoindre l'être qu'il poursuivait.

Le lendemain, il était debout avant l'aurore et continuait sa route avec la certitude qu'il ne tarderait pas à arriver à un lieu habité, car la piste s'élargissait et se montrait de plus en plus battue, à mesure qu'il avançait.

Enfin, vers midi, il découvrit un lac auquel des mamelons verdoyants formaient une charmante ceinture, et sur le bord méridional de hautes palissades entourant un amas considérable de cabanes.

Peu de minutes après, Guillaume Dubreuil serrait dans ses bras Toutou-Mak, la fille de Kouckedaoui, et, pour la millième fois, murmurait à son oreille enivrée le doux mot:

Nisakia-kia (je t'aime).

XVIII

LE FOU

Le principal oudenanc ou village des Indiens-Rouges contenait plus de cent maisons, chacune occupée par quinze ou vingt habitants. Ces maisons, appelées *mumatiks* par des indigènes, étaient construites en forme de de tonnelle, avec une charpente de pieux, tapissée intérieurement et extérieurement d'écorces de bouleau. Des trous ménagés dans la voûte livraient passage à la fumée. Elles avaient deux portes, une à chaque extrémité, et plusieurs fenêtres avec des carreaux de parchemin. Devant les portes, on voyait des perches auxquelles pendaient des chevelures sanglantes et un petit puits rond ou ovale de quatre pieds de profondeur; doublé d'écorce, lequel servait de garde-manger.

Ce village présentait une figure circulaire, les cabanes y étaient groupées en ordre, et séparées par des intervalles de huit à dix pas. Au centre se déployait une vaste place, bordée d'habitations plus grandes que leurs autres. C'étaient les demeures des chefs. Un pin, de haute taille, s'élevait vers le milieu de la place. On en avait élagué les branches, à huit ou neuf pouces du tronc, pour y pouvoir monter plus rapidement, et on l'employait comme tour d'observation.

Un corridor longitudinal, partagé lui-même par des cloisons en peaux ou en treillis d'osier, divisait chaque loge. Entre ces cloisons, semblables à des cellules ou plutôt des stalles pour les chevaux, vivaient les diverses familles. Quelques bancs couverts de pelleteries, des vases de bois, de terre et de pierre, des filets d'écorce, des arcs, des flèches, des javelots, des massues, des haches et des ciseaux de marbre et de silex, des couteaux, des aiguilles en ivoire de walrus, composaient presque tout le mobilier. Cependant, on remarquait ça et là, chez les plus riches, des instruments et ornements de fer et de cuivre qui annonçaient une provenance européenne.

Une palissade enfermait complètement l'oudenanc, sauf du côté de l'orient, où, dans l'enceinte revenant de quelques pas sur elle-même, on avait pratiqué une double porte dans l'espace embrassé par le retour. De plus, la porte externe était protégée par une sorte de corps-de-garde percé de meurtrières.

La fortification consistait en gros pieux, de cinq à six pieds en terre, de vingt en dehors[36], aiguisés en fer de lance, par le haut, et appuyés en dedans par une banquette, que soutenaient à l'intérieur d'autres piquets. Au-dessus de la banquette régnait un chemin de ronde, du sommet duquel les assiégés pouvaient lancer sur leurs ennemis des flèches, des pierres, des tisons enflammés, de l'huile bouillante.

[Note 36: Voir les voyages de Cartier, Lescarbot, Champlain, Sagard, Charlevoix, Dupratz, etc.]

Cette fortification était flanquée encore de demi-tours, à trente pas de distance l'une de l'autre, afin d'empêcher l'escalade. Par surcroît de précaution, tous les arbres avaient été coupés aux environs, dans un rayon de quarante à cinquante toises.

Le village était bâti sur un promontoire, qui s'avançait dans le lac, et un fossé, dominé par un bastion en argile et en bois, défendait le point où ce promontoire, était accessible par la terre ferme. Les remparts avaient vraiment été construits avec une certaine habileté. Imprenables pour des gens peu disciplinés et mal armés, ils eussent pu soutenir l'assaut d'un corps d'armée régulière.

Une flotte innombrable de canots à voile et à rame se balançaient dans la rade, au-dessous du cap.

Tel fut le curieux spectacle qui frappa les yeux de Dubreuil à son arrivée au village du lac des Indiens-Rouges. Mais plus tard seulement il en examina, il en admira les détails. Alors, il était bien trop préoccupé, bien trop pressé!

Son entrée dans l'oudenanc n'eût pas été facile, si, attirée par le tumulte que souleva l'apparition de l'homme blanc, Toutou-Mak n'eût volé à sa rencontre. Elle l'arracha aux importunités des Indiens-Rouges et l'entraîna dans la cabane de son père, où elle vivait maintenant avec Shanandithit, sa mère, et Triuniak, son père adoptif, débarqués depuis deux jours seulement.

Après d'ineffables et trop rapides instants consacrés au bonheur de se revoir, de ces instants où les yeux, les menues syllabes ont une si émouvante éloquence, où cent questions commencées sont interrompues par cent autres, où l'abondance du coeur porte, coupe, arrête et précipite la parole sur les lèvres, Dubreuil, assis bien près de Toutou-Mak, ses mains caressant la main frémissante de la jeune Indienne, lui demanda:

—Dis-moi, amie, par quelle bonne fortune tu es revenue ici?

Sa voix tremblait, car il craignait que son amante n'eût été victime de la brutalité de Kougib.

—Tu te souviens, répondit-elle, sans hésiter, que vous partîtes pour la chasse avec Triuniak?

—Oh! oui. Je n'aurais jamais dû te quitter. Un pressentiment me le commandait. Maudit soit ce jour!

—Peu après, reprit Toutou-Mak, un soir que je revenais de chercher des racines de tugloronets dans le bois, Kougib se jeta sur moi et m'enveloppa la tête dans une peau de renne, pour étouffer mes cris.

—Le scélérat!...

—Puis, continua-t-elle, il me chargea sur ses épaules et m'emporta vers la côte.

—Je m'en doutais, murmura Dubreuil, en se serrant contre elle.

—Là, il me déposa sur la glace, m'enleva le bâillon qui me suffoquait, et me menaça de mort si je bougeais.

»—Que veux-tu, qu'attends-tu de moi? lui dis-je.

»—Je veux faire de toi ma femme! répondit-il.

»—Jamais! non, jamais je ne serai ta femme!

»—Tu la seras, et nous irons vivre chez les Uski de l'Est.

—Oh! non, tu ne pouvais être la femme d'un pareil monstre! s'écria Dubreuil, enlaçant la jeune femme dans ses bras et la baisant passionnément.

—Tout en causant, continua-t-elle, il préparait un konè pour partir. Je ne pouvais fuir, car il m'avait attaché les pieds. Mais je songeais à me délivrer de ce lâche ravisseur. Il me plaça dans l'embarcation et se baissa pour prendre sa pagaie. Il me tournait le dos. Je profitai du moment et le poussai si rudement qu'il tomba à la mer. Ramassant alors la pagaie, je nageai de toutes mes forces, sans savoir où j'allais.

—Pauvre aimée! fit Dubreuil.

—Kougib, pendant ce temps, remontait dans un autre canot et me poursuivait... Ce qu'il devint, je ne l'appris qu'hier, par Triuniak.

—Il a expié ses crimes! mais toi! toit!...

—Moi, je le perdis bientôt de vue...

—Heureusement!...

—J'avais mon couteau, je tranchai mes liens et essayai de gagner une baie, pour retourner au village. Mais le reflux m'entraîna. Le lendemain, j'errai au milieu des glaces...

—Et la faim...

—Oh! interrompit-elle, j'avais des provisions en quantité. Kougib avait tout disposé pour un long voyage.

—C'était un homme de précaution, dit le capitaine avec un sourire.

—Le froid seul, ajouta Toutou-Mak, me faisait cruellement souffrir. Cependant, je pêchai des bois flottés et fis du feu sur des glaçons.

—Quelle terrible position!

—Souvent je songe à toi, Innuit-Ili...

—Ah! nos pensées ont dû se croiser plus d'une fois! Mais enfin, comment, amie, es-tu sortie de cette affreuse situation!

J'essayais toujours de revenir au rivage du Succanunga, et toujours je m'éloignais, car le vent me chassait vers l'est. Fatiguée de voguer ainsi au hasard, je me construisis une loge sur une île de glace à laquelle j'amarrai solidement mon koné. Comme j'avais suffisamment de vivres, j'étais décidée à attendre...

—C'eût été attendre la mort.

—Peut-être!

—Ne me dis pas cela, Toutou-Mak! ne me le dis pas! tu me navres!

Mais une nuit éclata une violente tempête. Le glaçon où je campais fut réduit en morceaux, j'eus à peine le temps de m'élancer dans mon koné...

—Que d'infortunes, ô pauvre Toutou-Mak!

—Non, Innuit-Ili, ce fut un bonheur, un bien grand, puisque, sans cette tempête, je ne t'aurais jamais revu, doux aimé de mon coeur.

Dubreuil la couvrit de caresses.

—Ainsi qu'une plume, le vent faisait voltiger mon esquif à la cime des flots, poursuivit la jeune Boethique. Pendant trois jours et trois nuits je fus le jouet des éléments. Il ne me restait plus aucun espoir d'échapper à l'abîme, quand l'ouragan me jeta évanouie sur cette île. Les habitants s'emparèrent de moi, et je repris mes sens entre les bras d'un chef... de mon malheureux père...

En prononçant ces paroles, Toutou-Mak éclata en sanglots.

—Kouckedaoui était un vaillant guerrier, dit alors Triuniak qui assistait à l'entretien.

Shananditit se mit à pousser des hurlements dans un coin de la hutte.

Lorsque cette explosion de douleur se fut calmée, Dubreuil dit doucement à Toutou-Mak:

—Et Kouckedaoui te reconnut, m'a-t-il appris, à ce poisson gravé sur ton bras.

—Oui, le baccaléos [37] est le signe et le novake[38] de notre tribu, répondit-elle, en lui montrant une plaque d'écorce rendue au fond de la cabane et sur laquelle on voyait, peints en couleur, «quatre poissons de sable, cantonnés et regardant les quatre angles de l'aire, au monceau de gravier en coeur.[39]»

[Note 37: Baccaléos, terme boethic signifiant morue. De ce mot on a fait *cabelliau*, puis *cabillaud*, qui veut dire, on le sait, morue fraîche.]

[Note 38: Quoique impropre, le mot blason est le seul qui puisse en français, rendra l'idée impliquée par ça terme indien.]

[Note 39: Ces armes ressemblaient à celles des Outaouais. Seulement, chez ces derniers, les quatre poissons étaient remplacés par quatre élans.—*Mémoires de l'Amérique septentrionale*, par le baron de LAHONTAN.]

—Mais, ajouta-t-elle, mon père me reconnut surtout à une marque particulière qu'il m'avait faite sur l'épaule.

Après ces explications, entremêlées de soupirs et des plus tendres baisers, vinrent celles de Triuniak.

Il raconta que le bouhinne avait profité de l'absence de Dubreuil pour indisposer l'esprit du jeune chef contre lui et hâter le départ des Boethics. Triuniak voulut s'y opposer, mais on menaça de le tuer, et on l'entraîna malgré lui, après l'avoir attaché dans un canot. Il ne devait même la vie qu'à l'intercession de Shananditthit, qui avait déclaré l'adopter, comme il avait adopté sa fille Toutou-Mak, et le choisir pour mari.

—Et, dit-il, en terminant, Triuniak sera fier d'épouser Shananditthit à l'expiration de son deuil, dans un an. Toi aussi, mon fils, à cette époque, tu célébreras ton mariage avec la fille de Kouckedaoui.

La jeune indienne rougit et baissa les yeux. Mais le bouillant Dubreuil s'écria:

—Quoi! pas avant un an?

—Non, mon fils, répondit Shananditthit; moi et Toutou-Mak nous ne pourrons prendre un mari avant deux saisons révolues. Pendant ce temps, tu apprendras la langue des Boethics, et je te ferai élever au rang qu'occupait Kouckedaoui.

—Au moins, ma mère me permettra-t-elle de voir Toutou-Mak chaque jour? insista Guillaume en couvrant du regard son amante.

—Mais ne veux-tu pas demeurer avec nous? répondit Shananditħit, étonnée de cette question.

Et comme Dubreuil paraissait plus surpris encore de la réponse Toutou-Mak l'informa que, différemment des coutumes des Esquimaux, chez les Boethics les jeunes filles pouvaient vivre sous le même toit que leurs fiancés, et les veuves visiter ou recevoir qui elles voulaient, même pendant leur deuil.

Pour dure que fût l'attente, elle avait donc ses douceurs. Dubreuil s'y résigna; et s'installa dans une des cellules de la loge de Kouckedaoui. Son costume esquimau fut changé contre un élégant vêtement, composé d'une tunique, de mitasses et mocassins en peau de caribou, brodés avec art par l'habile Toutou-Mak. Notre ami avait, en vérité, fort bonne mine dans cet habillement, que les Indiens Rouges portent d'ordinaire en été, hormis dans leurs expéditions de guerre, où ils vont nus et peinturés de la tête aux pieds.

Pour faire du capitaine français un chef boethic complet, il ne lui manquait que de relever ses cheveux en torsade sur l'occiput et de les orner de plumes d'aigle,[40] car Toutou-Mak avait obtenu qu'il coupât sa longue barbe. Mais il refusa avec opiniâtreté, et au grand désespoir de Shananditħit, de rehausser ses charmes et sa valeur personnels par cette insigne distinction.

[Note 40: «... On voit des hommes de belle taille et grandeur, mais indomptés et sauvages. Ils portent les cheveux attachés au sommet de la tête et étreints comme une poignée de foin, y mettant au travers un petit bois ou autre chose, au lieu de clous, et y liant ensemble quelques plumes d'oiseaux,»—*Premier voyage de* JACQUES CARTIER.]

Sa charmante institutrice lui eut promptement enseigné la langue du pays. En retour, Dubreuil lui apprit le français et l'instruisit dans les principes du christianisme. L'indienne était intelligente, elle aimait. C'est dire que ses progrès furent aussi rapides que ceux de son élève et maître.

Adroit à tous les exercices, doué d'une force musculaire peu commune, Dubreuil se conquit l'admiration des Boethics, comme il s'était gagné celle des Groënlandais. Il n'avait qu'un ennemi, le bouhinne; mais celui-ci n'avait qu'une influence médiocre. Il craignait trop l'homme blanc pour lui nuire ouvertement. Les sorciers boethics étaient loin, d'ailleurs, d'exercer la puissance souveraine des angekkut esquimaux. A Baccaléos, les croyances religieuses flottaient dans le vague. Elles se bornaient à la reconnaissance de quatre ou cinq divinités: *Matchi-Manitou*, le Grand-Esprit, *Tchougis*, le Diable, *Ouaïche*, dieu des songes, *Agreskoui*, déesse de la guerre. Les insulaires tiraient leur origine de Matchi-Manitou, qui les avait créés en plantant des flèches dans le sol. Leurs morts ressuscitaient sur un territoire éloigné, où ils ne cessaient de banqueter, en joyeuse compagnie, que pour se livrer aux plaisirs de la pêche et de la chasse; aussi ensevelissaient-ils des armes et des instruments usuels avec les défunts.

Dans leur cimetière, éloigné d'un mille du village et ombragé par de beaux platanes, Dubreuil remarqua plusieurs sortes de sépulture. Les unes étaient en terre, et, pour tombe, on voyait une image de bois grossièrement sculptée, qui représentait, tant bien que mal, le décédé; d'autres étaient établies sur des claies, portées par quatre pieux, et le corps enveloppé dans une couverture d'écorce, les plus nombreuses avaient lieu sous un amas de cailloux; mais celles des chefs se faisaient dans une loge de bois, de dix pieds de long sur neuf de large et cinq de hauteur au milieu. L'intérieur de ces huttes était parfaitement à l'abri des intempéries, et le cadavre reposait dans un cercueil rempli de gomme de pin (*pinus balsamifer*), où il se conservait ainsi durant de longues années. Des canots en miniature, des poupées,[41] flèches, carquois, harpons, lances, etc., avaient été déposés sur eux dans chaque tombeau, avec une foule d'ustensiles et d'ornements d'espèces diverses.

[Note 41: Sur les tombes des enfants.]

Placé sur une éminence, le cimetière commandait la vue du lac, dont les rives capricieuses festonnées de vignes sauvages, de groseillers, de framboisiers et de fraisiers, et les eaux bleues, mouchetées par des myriades de cormorans, canards, macreuses, judelles, guillemots et autres oiseaux aquatiques, offraient une fort agréable perspective.

La campagne environnante produisait en abondance des huiles farineuses dont les Boethics faisaient du pain. Ils cultivaient le maïs, qu'il mangeaient rôti avec de la graisse d'ours, ou broyé entre deux pierres, l'une concave, et l'autre convexe, semblables aux moulins arabes ou à ceux des anciens Romains. Le lac leur fournissait des poissons délicieux, surtout une sorte d'anguille, qu'ils prenaient avec le *nihog*, perche fendue à un bout et qui renferme un dard. En frappant l'anguille, les deux branches de cette perche s'ouvrent, le dard jaillit, perce le poisson, les branches se referment et l'empêchent de s'échapper.

Mais le saumon et la morue pêchés sur les côtes de leur île étaient, avec le caribou ou l'orignal, les principales sources de l'alimentation des Boethics pendant la bonne saison. L'hiver, ils se nourrissaient de phoques et de morses qu'ils harponnaient soit le long du rivage où ces amphibies s'ébattaient au soleil, soit à travers des trous pratiqués dans la glace, lorsqu'ils venaient allonger leurs museaux dans ces trous pour respirer.

Absorbé par sa passion pour Toutou-Mak, Guillaume Dubreuil ne voyait pas fuir le temps. Les leçons qu'il donnait à l'Indienne la lui rendaient plus chère même que celles qu'il en recevait. Nous nous attachons souvent mieux à ceux que nous favorisons qu'à ceux qui nous favorisent. Le capitaine aimait la jeune femme comme on aime son oeuvre, un produit auquel on donne tous ses soins, tous les développements de son génie artistique. Mais sa tendresse se montrait chaste, réservée, scrupuleuse. Elle ressemblait à celle de la mère pour l'enfant.

Se sentait-il trop ému, troublé par le brûlant contact de cette ardente et naïve créature, Dubreuil s'éloignait, et, lorsqu'il eût pu la posséder, il reculait l'instant de son bonheur, comme ces gourmands qui flairent un fruit parfumé avant d'y porter leurs lèvres, ou plutôt comme ces avares qui s'enivrent, en contemplant leurs trésors, des plaisirs qu'ils se pourraient procurer.

Peut-être, la voulait-il garder pure dans l'espoir qu'un jour, le ciel exauçant ses voeux secrets, il la ramènerait dans sa patrie, ou un ministre de Jésus-Christ bénirait leur union. Car il songeait toujours à sa France adorée! Il se disait que si un navire européen abordait à la côte, comme cela était arrivé déjà, au rapport des Indiens, il déterminerait bien Toutou-Mak, à l'y suivre et à l'accompagner par-delà les mers!

Guillaume désirait vivement aussi retrouver le singulier personnage qu'il avait entrevu près du petit lac. Mais dès qu'il eu avait parlé, on lui avait répondu avec terreur:—C'est le fou! nul ne sait où il habite.

Les Boethics redoutaient cet être bizarre, comme le plus terribles des fléaux. Toutou-Mak elle-même avait supplié Dubreuil de ne pas en ouvrir la bouche. Et il en était plus contrarié que surpris, car il avait antérieurement observé que les gens frappés de démence inspiraient aux Uskimé un effroi superstitieux.[42]

[Note 42: Comme, du reste, encore aujourd'hui à bon nombre d'habitants de nos campagnes européennes.]

L'été et l'hiver s'écoulèrent avec une grande rapidité.

Dès que le printemps eut fondu les neiges, dissous les glaces, que l'herbe fut revenue aux champs, les boutons aux arbres, les Boethics décidèrent de faire une grande chasse, pour célébrer dignement le double mariage de la veuve et de la fille de Kouckedaoui avec les deux étrangers.

Après un jeûne qui dura deux jours, Ouaïche ayant déclare aux Indiens-Rouges qu'ils trouveraient le gibier sur leur territoire oriental, ils traversèrent le lac et se rendirent à la tête de la rivière Machigonis,[43] par laquelle il se décharge dans la mer. Femmes, enfants, chiens, ils avaient emmené avec eux une troupe considérable.

Là commençait une double rangée de clôtures, de dix pieds de haut, en branches de sapin, dont l'incroyable étendue était bien propre à exciter la surprise, car elles n'avaient pas moins de quinze lieues de longueur[44].

[Note 43: La rivière des Exploits.]

[Note 44: De pareilles clôtures existaient encore en 1821, quoique, décimés par la petite-vérole et chassés par les Européens, les Boethics eussent disparu depuis plusieurs années. M. Cormak les vit lorsqu'il fit son expédition dans l'intérieur de l'île de Terre-Neuve. Elles avaient encore trente mille anglais d'un côté du lacet dix de l'autre. En 1852, j'en ai moi-même aperçu les débris.]

Elles formaient deux lignes se développant en un angle tronqué, dont le sommet, au nord-ouest, pouvaient avoir deux cents pas de large, et la base plusieurs milles.

Ce sommet s'appuyait sur le lac, et l'une des lignes courait le long du fleuve; celle-ci était, de distance en distance, percée par des ouvertures; mais l'autre était pleine d'un bout à l'autre.

Ces barrières avaient été construites par les Boethics, pour faciliter la chasse. A l'affût dans leurs canots, les uns au sommet de l'angle, les autres aux ouvertures sur la rivière, ils attendaient et tuaient à coups de flèche ou de lance les animaux que leur rabattaient, à grands cris, les femmes, les enfants et les chiens, partis en avant et revenant vers le lac en poussant le gibier entre les barrières.

La quantité détruite de cette manière est souvent fabuleuse.

Aussitôt arrivés, les Boethics se mirent en chasse. Dubreuil fut dépêché à l'extrémité inférieure de la clôture.

Il était à son poste depuis quelques jours, se félicitant de ses succès, car il avait porté bas une douzaine d'orignaux pour sa part, et attendant avec impatience le moment de retourner près de Toutou-Mak, lorsque retentit près de lui un cri qui avait fréquemment résonné dans ses rêves, agité ses pensées:

—Le blanc! le blanc! les blancs reviendront. Je l'ai prédit, ils reviennent.

Le capitaine se retourna.

C'est le sauvage qu'il a aperçu l'année précédente près du lac aurifère, et qui détale à toutes jambes.

Dubreuil se met à la poursuite. Cette fois, il l'atteindra, il en fait le serment.

Le soleil était à peine au tiers de sa course. Dubreuil marcha toute la journée sans pouvoir rejoindre son homme. Sur le soir, il campa au bord du fleuve, déterminé à recommencer le lendemain, car il n'avait pas cessé de suivre la piste de l'inconnu. Mais le lendemain, il s'aperçut que les traces disparaissaient dans un amas de pierres et de roches, au bord de l'eau. Le Machigonis était fort large à cet endroit, et la marée y montait à plus de dix pieds de haut.

Tandis que le capitaine faisait activement ses recherches avec toute la subtilité d'un Indien, le flot se retira et il découvrit de nombreuses substructions d'habitations, assez semblables, par leurs dispositions, aux maisons de l'Europe septentrionale[45].

[Note 45: Des ruines semblables ont encore été dernièrement retrouvées à Terre-Neuve, près de la baie de la Conception, ainsi que d'antiennes monnaies d'or.—Voyez la *British North America*, par MARTIN.]

Cette découverte l'intéressait d'autant plus qu'il se souvenait avoir lu que, vers le XIe siècle, les Norwégiens avaient jeté, par le 49° de latitude, une colonie sur une île qu'ils avaient nommée Winland[46], à cause des vignes qu'elle produisait. Depuis quelques temps, Dubreuil se doutait que Baccaléos était cette île. Une inscription gravée sur la face d'un rocher vint tout à coup corroborer ses présomptions.

[Note 46: Terre de la vigne. La découverte et la colonisation de Terre-Neuve furent faites, suivant toutes probabilités, en 1001, par un Islandais, Herjolf, aussitôt suivi de Leif, fils d'Eric-le-Rouge, ou Rauda, lequel avait déjà reconnu les côtes du Groënland, avec Gunbiorn, en 983.

Non-seulement l'Islande et le littoral de Groënland possédaient de puissantes colonies européennes bien avant la découverte de Christophe Colomb, mais il est probable que les Zeni (qui habitèrent la Friesland, cette île populeuse aux cent villes, engloutie maintenant au fond de l'Atlantique sans qu'il en reste plus qu'un vague souvenir, et l'Estotitland, autre île disparue, inconnue, où cependant le roi avait un interprète qui parlait latin) visitèrent une partie de la côte américaine vers le milieu du XIVe siècle, tandis que les hardis navigateurs Scandinaves l'exploraient dans la IXe.

Du reste, on a trouvé aux États-Unis de nombreux monuments attestant une civilisation ancienne et fort avancée. Rien d'étonnant que nos missionnaires aient remarqué au XVIe siècle des croix dans l'Acadie et la Gaspésie. Elles ont pu y être plantées par les Esquimaux du Groënland, dont beaucoup étaient convertis au christianisme dès l'an 1000, mais qui finirent par massacrer leurs prédicateurs et par retomber dans l'idolâtrie. Du reste, on a même trouvé dans une cave, à Fayetteville, sur l'Elk, une monnaie romaine qui a dû être frappée vers l'année 150 de l'ère chrétienne.

Elle porte d'un côté:

Antonius Aug. Pius P. P. III. Cos.

Et de l'autre:

Aurelius Cæsar Aug. P. III. Cos.

On peut consulter à ce sujet ma *Notice sur Sagard et son oeuvre.* —Librairie Tross. Paris, 1866.]

Elle portait cette, inscription latine:

HIC STETIT ERICUS

NORWEGIANORUM PONTIFEX

M.CXXI

Dubreuil en était là de ses observations, quand une flamme brilla à la cime d'un cap au-dessus de sa tête, et, à la pointe du rocher, il vit apparaître le sauvage qui gambadait, dansait, se démenait et paraissait en proie à une exaltation extraordinaire.

—Ils sont revenus, criait-il en langue danoise, ils sont revenus les hommes blancs. Ma prédiction s'est accomplie. Et moi, le dernier descendant d'Erick Rauda, moi à qui il était donné de conserver intact et vierge de toute souillure le sang des blancs sur ce rivage, je vais monter au séjour de mes aïeux. La mission du petit neveu du grand navigateur est remplie. C'est ici qu'ont débarqué les premiers Norwégiens; c'est ici qu'ils auraient dû se tenir. S'ils n'avaient flétri leur race en s'alliant, en se mêlant, en se fondant avec les sauvages habitants du Winland, ils vivraient heureux et prospères dans de fertiles contrées. Mais ils se sont bestialement jetés sur les femmes rouge? comme des cerfs échauffés; et ils ont perdu leur esprit, ils ont perdu leur coeur, ils ont perdu leur couleur. Seule, la famille d'Erick s'est préservée de la contagion. Elle a fidèlement demeuré sur ce roc, sans se corrompre, sans se gâter. Elle attendait le retour des blancs, et les blancs reviennent; ils sont revenus, les hommes blancs! Gloire à eux! ils détruiront les hommes rouges et leurs métis!

La prédiction du dernier fils d'Erick Rauda s'accomplira!

En prononçant ces mots avec une frénésie indescriptible, l'insensé se précipita dans le fleuve, où il disparut à jamais.

Guillaume Dubreuil s'était hâté de grimper sur le promontoire, pensant surprendre son homme: mais en arrivant, il ne trouva plus que les décombres fumants d'une cabane.

XIX

BRISTOL

Un des faits qui m'ont le plus frappé en mes voyages, c'est l'éloignement des peuples, appelés primitifs, pour la ligne anguleuse dans le groupement de leurs habitations, et même dans la construction de ces habitations elles-mêmes. La figure circulaire, par contre, est adoptée presque en tous lieux. Celtes, Gaulois, Romains ou Normands, nos ancêtres procédèrent de même. A l'origine, leurs huttes et leurs bourgades furent généralement rondes, ou ovales, carrées très-rarement. Consultez les anciennes cartes, les vieux plans, et cette répugnance pour la ligne droite, en si haute faveur chez nos architectes modernes, vous sautera aux yeux. J'ai là, devant moi, entre autres, une vue de Bristol, ou Brightstowe[47], dessinée en 1574; eh bien! on peut compter les développements successifs de cette ville, comme on peut compter l'âge d'un arbre par ses cercles concentriques. A cette époque, elle avait déjà quatre enceintes, les deux premières d'une rotondité presque parfaite, chacune des deux autres s'écartant de plus en plus de la courbure sphérique. Le rempart détruit, soit par les guerres, soit par l'afflux de la population, avait comblé le fossé, sur lequel s'était établi un boulevard, puis une rue, et la circonvallation avait été reportée au-delà. Sans doute la cité fit maintes fois encore éclater son corset de pierres avant de s'éparpiller sur le vaste promontoire où elle s'élevait, entre l'Avon et la Frome, avant de déborder son berceau, se jeter sur les collines avoisinantes, et devenir cette ville informe de «briques, de fumée et de boue,» dont parle un voyageur moderne.

[Note 47: Brightstowe (terme saxon qui veut dire *lieu considérable*). *Vulgo: quondam Venta florentissimum Angliæ emporium.*—G. Bruin, Bruxelles, 1574.—Les Saxons l'avaient appelée *Caer Oder naut Badon*, ou *ville d'Oder dans la vallée de Badon.*]

A la fin du XVe siècle, ses cent quatre-vingt mille âmes actuelles se réduisaient à douze ou quinze; alors elle ne possédait ni sa Bourse, ni ses puissantes banques, ni ses luxueuses villas, ni des rues brillamment éclairées par des torrents de gaz, ni quais et bassins merveilleux; mais alors, cependant l'antique cité jouissait d'une célébrité beaucoup plus grande qu'aujourd'hui. Elle était «la plus renommée et marchande d'Angleterre, excepté Londres,» disait un contemporain. Les bords de l'Avon, «si fertiles de diamants que d'iceux l'on pouvait charger une navire[48].»

[Note 48: Je n'ai pas besoin de dire que ces diamants étaient faux, comme eaux qu'on trouve près d'Alençon. Aux XVe et XVIe siècles le commerce en tirait toutefois un grand profit. «A un mille au-dessous de la rive orientale de l'Aron est bordée d'un rocher élevé, nommé Saint-Vincent, sur lequel il se trouve quantité de pierres carrées et à six angles, que l'on prend pour des diamants, parce qu'elles en ont véritablement toutes les apparences, hormis qu'elles n'en ont pas la dureté.»—*Les Délices de la Grande-Bretagne*, etc., par James DEEVERELL.]

Les cures miraculeuses opérées par saint Vincent, dont la demeure se voyait encore «entaillée au bas bord, du côté dextre du rivaige,» au pied même des excellentes sources thermales de Clifton[49], et surtout sa marine, qui déjà sillonnait toutes les mers connues et inconnues, lui avaient conquis cette enviable réputation.

[Note 49: En grande réputation pour la goutte et les affection» vésicales.]

A présent, elle se compose de deux villes,—Bristol proprement dit, et Clifton: également jadis. Mais elles sont toutes deux sur la rive droite du fleuve, tandis que les deux autres étaient, celle-ci,—la plus importante, le noyau, sur la rive droite, au nord; celle-là,—le produit, la fille,—sur la rive gauche, au sud. Un pont pliant sous le poids des bâtiments dont il est chargé, les mettait en communication. La seconde ville, ou faubourg du Temple, comme on la voudra désigner, était fortifiée par une muraille crénelée,—percée de deux portes et flanquée de tours, tantôt rondes, tantôt quadrangulaires,—qui, s'appuyant sur le fleuve, formait avec lui un arc dont il aurait été la corde violemment tendue. L'ensemble ressemblait assez exactement à un ciboire: Bristol figurant le calice en boule, son pont la tige, et le faubourg le pied. Une grande voie traversait en droite ligne toute la cité, depuis le sommet jusqu'à la base, en passant par le pont. Mais dans son parcours elle prenait différents noms: Broad Street, High Street et Saint-Thomas Street. Dans le quartier nord, cette voie était coupée à angles droits par une rue nommée Wine Street (la rue au Vin), qui conduisait à l'est à un château très-fort, bâti en 1110 par Robert, comte de Glocester, et dont nous aurons bientôt occasion de parler. A l'ouest, elle aboutissait à une muraille élevée pour la protection de la pointe du promontoire, et entre laquelle et le confluent des deux fleuves s'étendait un marécage.

On pense bien que Bristol avait, à cette époque une physionomie toute féodale. Si de puissants remparts, des tours formidables en défendaient l'approche extérieure, des monastères entourés de murs épais, des habitations munies de créneaux et mâchicoulis, des quartiers tout entiers renfermés dans leurs propres fortifications, des chaînes tendues en travers des rues aussitôt le couvre-feu sonné, des hommes d'armes faisant bruyamment résonner les dalles sous leurs éperons, tout à l'intérieur parlait de ces temps désastreux où régnait despotiquement la loi brutale du plus fort, du plus féroce, et que, par une aberration qui serait inqualifiable si elle n'était un calcul de la politique, on s'est plus à nous peindre sous les couleurs les plus poétiques, les plus délicates! Ah! qu'elle avait été effroyable, qu'elle était hideuse au peuple anglais cette poésie qui, pour s'inspirer, pour écrire ses chants, s'était plongée et avait trempé sa plume dans les flots de sang des guerres de la Rose-Blanche et de la Rose-Rouge!

Aussi comme il bénissait cet hypocrite fieffé, cet insatiable de richesse, Henri VII, qui venait d'y mettre fin![50] La paix on la saluait de toutes parts avec une indicible allégresse. Les fautes, les vices du roi, on les oubliait, on ne les voulait pas voir. Chacun s'estimait bien trop heureux d'une trêve qui lui permettait de respirer enfin, de vaquer un peu plus tranquillement à ses occupations.

[Note 50: Voir l'*Histoire d'Henri VII*, par F. BACON.]

Une des villes les plus cruellement éprouvées par la guerre civile. Bristol, réparait ses édifice religieux, ses monastères tant de fois pillés, tant de fois ravagés. Les magnifiques basiliques relevaient fièrement leurs clochers aigus comme des flèches, leurs pyramides, leurs campanilles si sveltes, leurs superbes tours de granit! On n'y comptait pas moins de vingt temples, non compris les couvents.—C'était, pour n'en citer que quelques-uns, et en leur conservant le nom que leur a imposé la Réforme: d'abord, sur la place Centrale, à l'intersection des quatre rues principales, marquée par une belle croix gothique, l'église de Tous-les-Saints, reconstruite en 1466, fameuse pour ses splendides autels; celle du Christ, fondée en 1003; Saint-Asphius et Saint-Ewens, aux quatre angles de cette place; Saint-Léonard et Saint-Warbugh, dans Wine-Street; Saint-Laurent et Saint-Jean, près de la porte septentrionale; Saint-Etienne, sur le bord de la Frome, ancienne propriété des abbés de Glastonbury, une des plus admirables créations du gothique fleuri; en franchissant le pont, les églises des Grands et des Petits-Augustins, dont la première est devenue, depuis la Réformation, cathédrale de Bristol; puis en rentrant dans la ville, Sainte-Marie-du-Port, élevée par le comte de Glocester en 1170; la vieille chapelle normande de Saint-Pierre, qui remonte à la conquête; au pied du château, Saint-Philippe, de la même époque que la précédente, et dans laquelle on voit le buste de Robert, fils aîné de Guillaume, à qui son frère Henri Ier fit perdre la vue par l'application d'un fer rouge sur les yeux; Saint-Nicholas, vis-à-vis du pont jeté sur l'Avon, érigée, en 1030, avec un clocher de cent cinquante pieds de haut, comme celui de Saint-Jean, en face, s'élançant d'une voûte sous laquelle passait la route; au-delà du pont, la somptueuse église consacrée à saint Thomas, surpassée seulement, dit la chronique, par celle «dédiée à Nostre-Dame, laquelle ilz appellêt RADCEL [51]: située au rivaige de la rivière, pas loing des murailles, de belle architecture, avecq une tour de marbre de merveilleuse haulteur, par dedans à tous cotez vaulsée de pierrées taillées artificiellement et bigarrées. Ayant plus haulte une aultre vaulsure de bois couverte de plomb, entre lesquelles y a aultant de place qu'ung hôme s'y poeult tenir droict.»

[Note 51: Pour *Redcliff*, rocher rouge.]

Mais, nonobstant leurs beautés respectives, aucun de ces monuments n'égalait en magnificence et en faste celui du Temple, ou église de la Sainte-Croix, «laquelle les bourgeois croyêt estre édifiée sur laine. Et combien qu'il semble estre mal croiable et absurde qu'ung fondament de telle grandeur se polrait tenir sur telle matière molle: toutesfois, il semble n'estre aucunement vraysemblable. La tour est fort haulte et belle, de la façon en grosseur et haulteur de celle de l'église de Saint-Martin-le-Mineur en Couloigne.» Cette tour tremblait tellement dès le XVIe siècle, qu'on cessa d'y sonner les cloches. Il paraît néanmoins qu'au XVIIIe elle n'inspirait plus les mêmes craintes, car un voyageur écrit: «Le clocher branle lorsqu'on sonne la cloche, et il s'y fait une fente de la largeur de trois doigts, depuis le haut jusqu'au bas, par laquelle il est comme séparé du reste de l'édifice, et cela s'ouvre et se ferme à mesure que l'on sonne.» Cette tour existe encore, et on la juge solide, malgré son aspect menaçant, car, élevée sur un marais, elle s'est enfoncée d'un côté et dévie de son sommet de prés de quatre pieds de la perpendiculaire.

Parmi les nombreux chefs-d'oeuvre dont le Temple était orné, on remarquait la statue en argent de saint Sébastien. Cette précieuse statue était un don de Jean Gabota ou Cabeta, Vénitien d'origine, établi depuis longues années à Bristol, où il exerçait la profession d'armateur. Il avait fait ce riche présent à l'église pour célébrer la naissance de son second fils Sébastien Cabot. Et c'était ce fils qu'on voyait, par une belle journée du mois de mai de l'an de grâce 1497, pieusement agenouillé devant l'image du saint martyr.

—Bienheureux élu du Seigneur, faites, disait-il, que le roi Henry le septième, notre bon sire, daigne ne pas nous retirer ces Lettres Patentes qu'il nous a octroyées le 5 mars de l'année dernière, car je vous jure que tout mon désir c'est d'aller convertir les infidèles, païens, hérétiques et idolâtres qui habitent les bords de la mer glaciale, ainsi que le Cathay! Faites aussi, miséricordieux patron, que la gente sauvagesse, ramenée par notre nef, écoute enfin, d'un oreille complaisante, ma requête amoureuse: je la ferai, ô doux dépositaire de mes voeux, baptiser et placer sous votre, toute-puissante invocation! De plus, vous baillerai, le jour de mes noces, une belle couronne de diamants, et une nappe brodée en point d'Angleterre pour votre autel; item, brûlerai cent livres de bougie et dix d'encens à votre intention, item, vous passerai au col mon grand chapelet d'émeraudes et de rubis, item, vous apporterai soir et matin un bouquet de fleurs nouvelles; item...

—Il est heure, mon fils, de finir vos oraisons, dit en italien, derrière Sébastien, un vieillard qui s'était approché silencieusement.

—Je termine, mon père, répondit-il.

Et, après avoir achevé mentalement sa prière, Sébastien fit un signe de croix, une respectueuse révérence à la statue, et suivit le vieillard hors de l'église.

Celui-ci était un homme de grande taille, robuste, dont le poids des ans semblait n'avoir en rien altéré la vigoureuse constitution. Il avait l'oeil vif, profond, la physionomie fine et hautement intelligente. Sur sa large poitrine ondoyaient les flocons d'une barbe blanche comme la neige, et brillait une lourde chaîne d'or massif. Il était coiffé d'une toque en velours noir et vêtu d'une robe de même étoffe, serrée à la ceinture par une cordelière, costume des opulents armateurs du Levant.

Son fils, Sébastien, lui ressemblait beaucoup.[52] C'était le même regard, la même délicatesse nerveuse, le teint olivâtre des méridionaux; mais avec l'expression plus ardente, plus passionnée que comportait son âge. Il pouvait avoir vingt-quatre ou vingt-cinq ans. Ses traits, hardiment accentués, annonçaient l'énergie, l'impressionnabilité, l'esprit d'aventure.

[Note 52: Son portrait, peint par Holbein, se trouvait encore, en 1831, dans une galerie particulière, à Bristol. Au-dessous on lit:

«*Effigies Seb. Caboti Angli, filii Johannis Caboti Veneti, Militis Aurati, Primi Inventoris Terræ-Novæ, sub Henrieco VII, Angliæ Rege.*»]

Il portait l'élégant habillement des jeunes gens riches de cette époque; chapeau de feutre, ombragé d'une plume d'autruche; large fraise tuyautée en dentelle; justaucorps de drap bleu, galonné d'argent, haut-de-chausses bouffants, jaunes, à côtes rouges, et attachés au milieu de la cuisse par une jarretière d'or, bas de soie montant sous le haut-de-chausses et souliers à la poulaine. Une épée au côté, des gants de chevreau aux mains, et un léger manteau sur l'épaule, complétaient son ajustement, dans lequel Sébastien montrait une aisance, une distinction et une bonne mine qui avaient tourné la tête à plus d'une bachelette et damoiselle bristolienne.

Mais ni leurs grâces, ni leurs provocantes oeillades, pas même le désespoir de l'une d'elles, n'avaient trouvé le chemin de son coeur.

Entièrement livré à l'étude, et particulièrement à celle de la sphère terrestre, le jeune homme était resté longtemps insensible aux charmes de l'amour. La tendresse de son père, l'affection de ses deux frères, Louis et Sanchez avaient presque suffi—sa mère étant morte avant qu'il eût pu la connaître—aux besoins de son âme, jusqu'à la fin du mois qui précède ce récit.

Le vieillard et lui descendirent la rue du Temple, traversèrent le pont, et entrèrent, par la porte Saint-Nicolas, dans la rue Haute (High street). Cette rue, fort étroite et très-ancienne, était bordée de chaque côté par des boutiques, non point de ces vastes magasins écrasés d'or et ruisselants de lumière, comme ceux d'aujourd'hui, mais de petites échoppes, bien noires, bien enfumées, où l'air et le jour ne semblaient pénétrer qu'à regret, et où les ventes se faisaient plutôt sur la confiance que l'on accordait au marchand que sur l'examen des denrées.

Ces boutiques occupaient invariablement la première pièce du rez-de-chaussée: derrière se trouvait la salle commune à la famille du négociant, à demi éclairée par une petite cour. Le premier étage avançait de deux ou trois pieds sur le rez-de-chaussée; le second, d'autant sur le premier; et, brochant sur le tout, un haut pignon à angle aigu, surmonté d'une boule ou d'un ornement sculpté, projetait ses corniches, comme pour abriter le reste.

Le bois, le plâtras et les moellons avaient été les matériaux employés à la construction des maisons, les fenêtres supérieures faisant saillie, suivant l'habitude anglaise, les petits vitraux de couleur enchâssés dans des lamelles de plomb, et les enchevêtrures losangées, croisées en X ou en carré, de la charpente, et les panneaux et chambranles chargés de figures grotesques, les marquaient du sceau pittoresque des cités du moyen âge. Point de chariots, charrettes ou voitures dans la rue, seulement des brouettes et des traîneaux. Un édit municipal, souvent renouvelé, interdisait les premiers, «de peur qu'ils n'effondrassent les canaux et *gouttes*[53] souterrains» creusés, vers 1450, pour l'assainissement de la ville.

[Note 53: Ce mot était employé par les Bristoliens dans le sens d'égout.]

Aussi était-elle relativement peu bruyante, malgré le grand nombre de gens de toutes conditions qui encombraient les voies publiques.

—Avez-vous demandé conseil à votre patron, et êtes-vous toujours dans l'intention de partir? dit Jean Cabot à son fils, en débouchant de la porte Saint-Nicolas.

—Vous savez, mon père, que c'est mon désir le plus cher. Si nous avions la confirmation de nos Lettres Patentes, j'aurais déjà, avec votre autorisation, mis à la voile.

—Oh! dit le vieillard, ces Lettres, nous les conserverons malgré les méchants. Trop occupé de repousser l'imposteur Perkin Waerbeck, Sa Grâce le roi nous a sans doute négligés. Mais je suis assuré qu'il ne manquera pas à la parole qu'il m'a positivement donnée de mettre un de ses navires à notre disposition. Par malheur, nous ne pouvons différer. La capture de cette femme sauvage et de ce Français, par un de nos vaisseaux, cause quelque sensation. Si l'on apprenait qu'il y a des mines d'or dans les pays d'où ils viennent, les ambitieux et les intrigants nous raviraient la faveur qui nous attend... Car ce sont bien des pépites d'or et du meilleur qu'on a trouvées sur cet homme... je les ai examinées. Ma conviction est formée... *Corpo di dio*, ajouta-t-il, avec un regard enflammé, si tu abordes jamais dans cette contrée, mon enfant, nous deviendrons les plus riches seigneurs de la terre...

—Ah! fit Sébastien en levant les yeux au ciel, si on avait pu aussi retrouver ces cartes dont a parlé la jeune fille!

—Tu dis vrai, mon fils. Mais je ne crois pas qu'elles soient égarées. Le Français les aura enfouies quelque part...

—Vous pensez?

—J'en suis sûr. J'interrogerai encore cette fille, car il faut se presser. Nous avons fait passer l'homme pour un Flamand, et nous avons pu obtenir qu'on l'enfermât au château, parce que Henri VII est en guerre avec la duchesse de Bourgogne, qui soutient le prétendant, mais nous ne saurions dissimuler longtemps sa nationalité. On apprendra qu'il est Français, et adieu pour nous l'honneur et le profit de cette découverte à laquelle nous avons déjà sacrifié tant de travaux et d'argent. Mieux que tes frères et moi, tu connais la science de la navigation, il est donc urgent, Sébastien, que tu te lances immédiatement dans cette entreprise... même si nous ne réussissons pas à nous procurer les cartes! L'étrangère te sera, d'ailleurs, d'un grand secours, ne fût-ce que pour communiquer avec les peuplades sauvages. Moi, je resterai ici, pour attendre la confirmation des Lettres Patentes et empêcher nos ennemis de nous nuire dans l'esprit du roi[54], pendant ton absence.

[Note 54: Je m'empresse de déclarer, que, pour ce qui concerne la découverte historique de Terre-Neuve, j'ai scrupuleusement, après avoir parcouru les principales relations traitant ce sujet, suivi l'oeuvre critique de D.-B. Warden (*A Memoir of Sébastian Cabot.* London, 1831), le seul, à mon avis, qui ait parfaitement et complètement élucidé la matière.

Ce Mémoire me paraît avoir fort bien résolu plusieurs questions longtemps controversées.

1° La découverte officielle de Terre-Neuve est due à Sébastien et non à Jean Cabot.

2° Sebastien naquit à Bristol à la fin du XVe siècle. Il fit, à l'âge du quatre ans, un voyage à Venise, leur patrie, avec son père.

3° La découverte eut lieu le 24 juin 1497.

4° Les premières Lettres-Patentes de Henri VII furent octroyées aux Cabot, le 5 mars 1496, et on ne les délivra au nom de Jean Cabot que parce que, sans doute, il présentait à l'avare monarque plus de garantie que son fils Sébastien, Henri VII s'étant réservé une partie des bénéfices futurs de l'entreprise.]

Ils arrivaient alors devant une grande et belle maison qui fait encore le coin des rues Haute et du Vin, et dont la façade est un chef-d'oeuvre de sculpture gothique.

Au-dessus de la porte, les drapeaux de Venise et de la Grande-Bretagne mariaient leurs couleurs.

Jean Cabot souleva un lourd marteau de bronze curieusement orné, une jeune et accorte servante ouvrit la porte, et les deux hommes entrèrent dans un *store*, encombré de caisses, ballots, barriques de toute espèce, de toute provenance. Là, Sébastien quitta son père, pour monter à son appartement par un spacieux escalier en chêne bruni par le temps, tandis que le vieillard pénétrait dans une chambre, au fond du magasin. Cette pièce lui servait de salle à manger, de bureau et de chambre à coucher. Son mobilier était, de la plus grande simplicité, car le prudent armateur cachait avec soin ses richesses, de crainte d'attirer la convoitise du roi ou de ses rapaces ministres. On n'y remarquait qu'un lit à baldaquin et colonnes torses de dimension colossale, avec un Christ en ivoire, accroché, dans la ruelle, quelques cartes jaunies collées au mur, quatre chaises pesantes, une table plus pesante encore, une horloge allemande et un bahut, bardé d'acier, scellé dans la muraille.

Après avoir fermé sa porte par un verrou intérieur, Jean Cabot ouvrit ce bahut, en pressant un ressort secret, puis en introduisant une clé dans la serrure. Le coffre s'ouvrit. Au dedans, il y en avait plusieurs autres, tous fixés au bahut principal, par des crampons d'acier. Leur serrure était percée dans leur propre couvercle.

Cabot pesa de nouveau sur un ressort, et, avec une petite clé pendue à sa chaîne d'or, ouvrit un des coffrets. Il se divisait en compartiments remplis de monnaies étrangères et de pierres précieuses. Dans l'une des cases, le vieillard prit plusieurs menus morceaux de minerai d'un jaune étincelant; ensuite il renferma minutieusement ses coffres, se plaça sous un rayon de lumière, et essaya le minerai avec la pierre de touche et l'acide nitrique.

—De l'or! murmurait-il en répétant ses expériences, c'est de l'or pur! Et cette fille déclare que, dans son île, on le trouve mêlé au sable des rivières! Ah! trouvons, trouvons vite cette île merveilleuse! et ma fortune dépassera celle des doges, celle des plus fastueux souverains du globe! Oui, Sébastien fera le voyage. Ses connaissances, son intrépidité, me répondent du succès. Si le Français voulait nous livrer ses plans! car cette femme (sa maîtresse, je suppose) m'a dit qu'il possédait un plan de l'île! Mais il ne le veut céder à aucun prix! La gloire de la France l'intéresse par-dessus tout. C'est à elle, à elle qui ravage en ce moment l'Italie, qu'il prétend assurer l'honneur et le profit de sa découverte. Il refuse même des associés! Mais non; ni lui, ni la France ne jouiront de ces avantages. Ce sera Jean Cabot, ce sera Venise auxquels ils appartiendront!

Le vieillard avait prononcé ces paroles avec une vivacité qui le fit sourire.

—Voyons, reprit-il, du calme. J'ai une idée. La sauvagesse aime le Français, je n'en puis douter. Si je lui promettais la liberté de son amant, à condition qu'il m'abandonnera ses plans, ou qu'il les refera pour nous, s'ils sont perdus!... Oui... oui... c'est cela.

Il mit les pépites dans sa poche, rouvrit la porte de la chambre et frappa sur un timbre.

La jolie servante accourut à l'appel.

—Mima, lui dit son maître, va me chercher l'étrangère.

Bientôt Toutou-Mak parut devant Jean Cabot.

Vêtue d'un costume européen, à la mode du temps, la jeune Boethique était ravissante, quoique ses joues fussent pâlies par le chagrin et ses yeux rougis par des larmes brillant encore sous ses longs cils au moment où elle entra.

Le vieillard prit un air et un ton paternels.

—Asseyez-vous, mon enfant, lui dit-il en français, mais avec un accent étranger fortement prononcé; asseyez-vous, et laissez-moi vous parler dans votre intérêt... rien que dans votre intérêt. Nous nous connaissons à peine, et, cependant, je sens que je vous aime comme si vous étiez ma propre fille. Je veux votre bonheur. Vous l'obtiendrez par moi, soyez-en persuadée. Seulement, il faut m'aider, ne point vous perdre par une imprudence. Le navire sur lequel vous étiez, quand mon vaisseau le Mathieu s'en empara, est un navire appartenant aux Flamands, c'est-à-dire aux ennemis de ce pays. Vous comprenez pourquoi nous avons faits captifs ceux qui le montaient.

—Mais mon ami est Français! s'écria Toutou-Mak, en séchant ses pleurs.

—Cela n'est pas prouvé, ma chère fille. Nous avons nos habitudes, nos moeurs, comme vous avez les vôtres. Si j'étais assuré que votre ami,—il souligna le mot—fût Français, j'insisterais vivement pour qu'il fût remis tout de suite en liberté!...

—Ah! faites-le! faites-le! dit-elle.

—Volontiers, reprit le rusé Vénitien avec un ton de plus en plus doucereux; très-volontiers, mais il faut me seconder. Suivant mes ordres, vous n'êtes point sortie de ma demeure: vous n'avez dit à personne qui vous êtes, d'où vous venez. C'est bien. Aussi l'on ne vous a point inquiétée. Vous vivez au milieu de gens qui vous affectionnent, tandis que peut-être voue seriez en prison...

—Que n'importerait la captivité, si c'était avec lui!

—Certainement; mais ce ne serait pas avec lui, répliqua Cabot, en souriant. Il est cependant un moyen de vous le rendre...

—Dites! oh! dites!

—Vous le connaissez ce moyen, ma fille. Que notre captif nous dise ce qu'il a fait de ses plans, et je vous jure qu'aussitôt il sortira de son cachot.

Toutou-Mak secoua la tête d'un air triste.

—N'est-ce pus vous-même qui nous en avez parlé, de ces cartes? continua Cabot, n'est-ce pas vous qui m'avez dit qu'étant dans votre île, il faisait des dessins comme celui-ci ajouta-t-il, en désignant une mappemonde sur la muraille, et n'est-ce pas vous qui nous avez avoué qu'il possédait assurément ces parchemins avec lui, au moment où vous fûtes capturés, car ils ne le quittaient jamais?

—Toutou-Mak a dit vrai, fit la jeune fille avec mélancolie.

—Eh bien, mon enfant, tâchez de savoir où il les a mis, où il les a cachés, répliqua Jean Cabot, en fixant sur elle un regard scrutateur.

—Et s'ils sont perdus?

—S'ils sont perdus!... Mais non, ils ne le sont pas.....

—Ah! pourquoi, s'écria-t-elle en pleurant, ai-je parlé de ces dessins!

—Croyez-vous que nous n'en aurions pas eu connaissance? dit Cabot en cherchant à lui en imposer par son geste.

—Pourquoi donc alors ignorez-vous où ils sont? riposta-t-elle avec une naïveté qui mit en défaut l'astucieux vieillard.

Il se mordit les lèvres et repartit:

—Enfin, ma chère enfant, je ne discuterai pas avec vous; mais faites en sorte de nous procurer ce que je vous demande. Dites à votre ami qu'il y va de sa vie... et aussi de la votre...

—Oh! la mienne n'est rien!

—Et la sienne? reprit vivement Cabot, comprenant qu'il avait mis le doigt sur la corde sensible.

—La vie de mon ami! dit-elle en pâlissant affreusement; oh! si elle est en danger, pour le sauver je ferai tout ce que vous voudrez.

—Ah! je savais bien que nous finirions par nous entendre, dit joyeusement le Vénitien. Je vais, ma fille chérie, vous faire donner une permission pour voir le prisonnier. Vous aurez une heure de tête à tête avec lui, ajouta-t-il en décochant à Toutou-Mak un coup-d'oeil gaillard; dans une heure, une jolie femme peut tout obtenir d'un homme, mais souvenez-vous que si, au bout de ce temps, vous ne me rapportez pas les plans, je ne réponds plus de ses jours ni des vôtres!

XX

LE CHÂTEAU.—LE «MATTHEW.»—BACCALÉOS.

CONCLUSION

Nous l'avons dit, élevé au XIe siècle par le comte de Glocester et détruit au XVIIe par Cromwell, le château de Bristol était situé à l'est de la ville. On y arrivait par les rues Saint-Pierre et du Vin, auxquelles il servait de protection. C'était un amas considérable de tours, tourelles et courtines, que commandait un énorme donjon, semblable, par la forme et la dimension, à la Tour de Londres (*White Tower*). Un large fossé, qu'alimentait la Frome, circulait tout autour, à quelques pieds des remparts. Il n'avait qu'une seule issue: vis-à-vis de la cité.

Le coeur de la jeune Boethique lui battait terriblement en approchant, voilée, de cette redoutable forteresse, dont les hautes murailles noircies, les créneaux menaçants rappelaient les plus sombres rochers de la côte groënlandaise.

Un hallebardier, à la mine farouche, l'arrêta sur le pont-levis.

Elle montra une permission de passer que lui avait remise Jean Cabot, et on l'introduisit dans un corps de garde extérieur, voûté, enfumé, où quelques soldats dormaient étendus sur un lit de camp, tandis que d'autres buvaient de l'ale ou jouaient aux dés sur une table graisseuse, grossièrement équarrie. Une lampe de fer, fichée dans la muraille, les éclairait, car le corps de garde ne tirait qu'une insuffisante clarté de la profonde meurtrière qui lui tenait lieu de fenêtre.

Toutou-Mak, fit rapidement ces observations. Elle avait l'oeil vif et prompt de sa race. Elle songeait à l'évasion de Dubreuil, en cas d'insuccès. Il fallait profiter de sa visite pour en faciliter les moyens.

Son apparition au milieu des soudards donna sans doute lieu à des plaisanteries grossières, à des gestes obscènes, mais elle était bien trop préoccupée pour remarquer les uns ou pour entendre les autres, même si elle eût compris l'anglais.

Après une demi-heure d'attente, pendant laquelle on faisait viser son permis, un homme vint la prendre. C'était le gardien en chef. Il avait le costume qui a été maintenu pour les *warders* actuels [55] de la Tour de Londres: toque de velours noir, tailladée, tunique de drap rouge galonnée sur toutes les coutures, la rose d'Angleterre brodée sur la poitrine, la fraise plissée au col; une forte ceinture de cuir, d'où pendait, par un anneau, un gros trousseau de clefs.

[Note 55: On sait que c'est le costume du temps de Henri VII.]

Cet homme fit signe à la jeune femme qui le suivit en silence.

Ils traversèrent une voûte, que dentelait au sommet une herse de fer, sous laquelle une sentinelle était en faction; puis ils arrivèrent à une porte fermée. Le conducteur échangea un mot d'ordre. La porte fut ouverte. Elle précédait une seconde voûte armée et formée comme la première. L'échange d'un autre mot d'ordre leur en livra l'accès. Ils pénétrèrent enfin dans la grande cour du château, dont quatre caronades défendaient encore l'entrée.

Malgré son étendue, cette cour était sombre, triste comme sa clôture. Le manque d'air, le manque de lumière se faisait sentir même sur le chétif et souffreteux jardinet établi au milieu. On y étouffait. Des casernes, des magasins, des arsenaux étaient rangés autour des murailles. Sous la tour sud-est, on voyait la maison du gouverneur, que dominait de toute sa puissance, au nord-est, la Guette ou donjon.

Ce donjon se composait d'une tour ronde colossale, élevée de cinquante pieds, à laquelle on en avait annexé extérieurement une autre, haute du double.

Un fossé en protégeait le pied, au dedans du château comme au dehors.

Parvenu devant ce fossé, le guide de Toutou-Mak porta un sifflet à ses lèvres et en tira un son aigu.

Aussitôt un soldat parut à une embrasure, reconnut le gardien, et un pont-levis s'abaissa. Ils franchirent ce pont, s'arrêtèrent à l'extrémité dans une salle basse, où une vieille femme fouilla les vêtements de Toutou-Mak; puis, précédée du geôlier, celle-ci passa dans un corps de garde placé derrière cette pièce; le geôlier ouvrit une porte, et ils gravirent un escalier à vis, dans lequel le vent s'engouffrait avec des lamentations lugubres. La cage en était si étroite que deux personnes n'eussent pu monter ou descendre de front, si obscure que Toutou-Mak se heurtait à chaque palier contre les marches.

L'ascension se termina enfin par une série de petits escaliers s'embranchant dans le tronc principal. Une meurtrière les éclairait. Chacun n'avait que cinq ou six degrés.

Le taciturne geôlier tira les verrous d'une porte, en fit jouer la serrure; un lourd panneau grinça âprement sur ses gonds, un autre encore, et l'homme, se retournant, poussa la jeune femme tremblante dans une cellule où un vif rayon de soleil, flambant à travers la grille d'une ouverture carrée, lui éblouit tout à coup les yeux.

Et la porte se referma avec fracas derrière elle.

L'émotion faisait chanceler Toutou-Mak. Elle s'appuya à la muraille.

—Qui êtes-vous? que me voulez-vous? dit en français une voix bien connue, dont le son la ranima aussitôt.

Elle se précipita vers un homme en haillons, étendu sur une misérable litière, en un coin du cachot.

—Qui êtes-vous? que me voulez-vous? répéta-t-il.

Puis son coeur bondit, s'échappa tout entier dans un cri

—Toutou-Mak!

La jeune femme venait de relever son voile.

Pauvre capitaine Dubreuil, comme huit jours dans cette prison l'avaient changé! Il avait plus vieilli en ce court espace, de temps que durant ses trois années d'épreuves, épouvantables bien souvent, passées au milieu des sauvages du Succanunga et de Baccaléos!

—Je t'apporte la liberté! lui murmura son amante entre deux baisers mouillés de larmes.

—La liberté! les Anglais, nos ennemis jurés, me rendraient ma liberté! Ah! je ne puis croire...

—N'es-tu pas Français?

—Eh! c'est bien pour cela que je doute de tes bonnes paroles. Mais elle ne me fait plus rien la liberté! puisque je te revois; que je te presse sur mon sein. Ce n'est pas un rêve!... J'ai besoin d'être rassuré! Mes sens ne me trompent-ils pas? Mais non, c'est toi, je te sens, parle-moi, amie, que j'entende le son de ta voix; car j'ai peur encore qu'un songe décevant...

—Non, mon bien-aimé, dit-elle en le baisant avec tendresse, non, ce n'est pas un songe. Je suis là, je t'aime! Nous serons libres tout à l'heure...

—Libres! fit-il avec un mélancolique sourire. Tu as confiance aux Anglais, toi!

—Mais on m'a promis...

—Ah! leurs promesses! je les connais! Laissons là. Embrasse-moi! encore! encore! Je puis mourir maintenant..

—Mourir! ne prononce pas ce mot, Guillaume! il m'effraie!...

—Je ne complais plus sur une félicité pareille. Depuis six semaines je ne t'avais pas vue. Plongé dans le fond du navire qui avait enlevé celui qui nous ramenait en Europe, enfermé ensuite dans cette tour, sachant combien est ardente la haine des Anglais pour nous, il ne me restait aucun espoir. Hélas! je me disais: Que je la revoie un moment, un seul, et j'affronterai gaiement la mort. Mais j'ignorais ton sort, comprends-tu mon anxiété, mes angoisses?... Que t'est-il arrivé, dis?

—Plus tard, ami, je te conterai cela. Écoute...

—Non, non, rien avant que tu ne m'aies conté...

—Eh bien, quand le vaisseau fut pris, on me transporta sur l'autre où je fus convenablement traitée par le chef...

—Cela m'étonne.

—Il empêcha ses guerriers de me brutaliser, et en débarquant dans ce grand village anglais, comme tu l'appelles, on me plaça dans une grande cabane dont le maître me fit bon accueil. Mais il me défendit de sortir, m'ordonna de mettre ces vêtements, et m'interrogea...

—Ah! il t'a interrogée?

—Oui, sur toi, sur l'île...

—Et, s'écria Dubreuil, tu lui as dit qu'il y avait de ces pierres jaunes, comme celles qu'on m'a volées en m'enlevant mes habits...

—Il me l'a demandé: j'ai répondu oui.

—Imprudente!... Mais non, pardonne, je, suis fou. Tu ne savais pas.

—Je lui ai dit aussi, continua Toutou-Mak s'armant de courage, que tu avais fait des dessins...

—Tu lui as dit cela? proféra Dubreuil en la repoussant avec vivacité.

L'Indienne se mit à pleurer.

—Mon ami ne m'aime plus, il est irrité contre moi, sanglota-t-elle.

—Ah! je ne sais ce que je fais, dit-il en la ramenant doucement avec la main. Vois-tu, le chagrin m'a troublé le cerveau. Sois indulgente. Dis-moi que tu n'es pas fâchée de ma brusquerie...

—Fâchée? peux-tu le penser? c'est moi qui suis coupable.

—Du reste, reprit-il en plongeant ses doigts caressants dans les longs cheveux de la jeune femme, qu'importe que tu leur aies dit cela! Mes parchemins, ils ne les trouveront pas. Et si la France n'en peut profiter, ce ne sera pas l'Angleterre; non, non, ce ne sera pas elle...

—Ils sont donc perdus, insinua Toutou-Mak.

—Point, dit-il avec un sourire, mais ils sont cachés, bien cachés.

La fille de Kouckedaoui refoula un cri de surprise et de joie près d'éclater sur ses lèvres. Elle se pencha amoureusement vers Dubreuil, lui jeta un bras autour du cou, et, sa joue appuyée sur la joue brûlante du jeune homme:

—Mon bien-aimé les a donc serrés sur le vaisseau? dit-elle d'un ton négligent.

—Du tout: oh! je n'étais pas si sot, je connais les Anglais, répondit Dubreuil, se laissant aller aux charmes de l'expansion; d'ailleurs, j'avais reçu une leçon. Tu te souviens de notre départ de Baccaléos, mon adorée, tu te souviens de cette cruelle maladie que je fis, à la suite de la grande chasse, d'où je revins avec une fièvre qui me retint dix lunes au lit.

—Oh! oui, je m'en souviens, et me souviens aussi que, te trouvant faible encore, après l'hiver, je voulus, malgré toi, t'accompagner à la pêche ordonnée par le bouhinne, à la saison des oiseaux de neige[56], afin, disait-il, de célébrer notre mariage par un grand banquet. Nous partîmes, emportant nos chimans à la côte. Il y avait beaucoup de phoques et de morses. Tu les poursuivais sur les glaçons, trop loin du rivage. Je te priais de ne pas nous écarter autant. Mais tes oreilles étaient alors closes à ma voix. Et un jour, un coup de vent nous entraîna vers la haute mer. Nous étions seuls dans notre canot. Je n'avais pas peur de la mort, puisqu'elle m'aurait frappée avec toi...

[Note 56: Le mois de mars.]

—Ah! je t'aime! s'écria Dubreuil, lui fermant la bouche sous un baiser.

Toutou-Mak reprit après un doux moment de silence:

—La tempête nous chassait toujours à l'est, quand le soir nous aperçûmes ce que tu nommes un vaisseau, courant sur nous. Tu appréhendais que ce fût un ennemi.

—Non, non, ce n'était pas un ennemi, mais un bateau flamand, qui pêchait la morue dans ces parages. Il nous reçut bienveillamment à son bord. Mais je commis la faute de parler au capitaine de mes découvertes, de mes cartes. Il voulut voir celles-ci; j'eus l'imprudence de les lui montrer; dès lors, il en désira la possession, me tourmenta pour l'obtenir, et peut-être aurait-il usé de violence envers moi, si nous n'avions été capturés par le navire anglais. Cette leçon, comme je te le disais tout à l'heure, m'avait mis sur mes gardes. On me jeta dans la cale avec les Flamands. Le capitaine anglais me questionna à son tour. Je simulai la démence. Il me laissa tranquille. Mais, prévoyant ce qui arriva, au moment de débarquer dans cette ville, vers le soir, je profitai de la confusion et de la foule pour m'évader du navire, courus cacher mes parchemins dans un rocher sur le bord du fleuve, et revins me mêler aux captifs.

—Eh! quoi, tu ne t'es pas enfui, mon ami? s'écria Toutou-Mak.

—T'aurais-je laissée seule aux mains de nos ennemis? répondit-il avec un doux accent de reproche.

—Oh! tu es bon!

—Je plaçai donc, continua Dubreuil, mon rouleau dans une fente du rocher, à deux cents pas du vaisseau, et je traçai avec un caillou une croix pour reconnaître l'endroit. Ah! si tes Anglais le savaient! M'ont-ils interrogé, torturé, les lâches! Cet or, qu'ils avaient découvert dans mes vêtements, et que j'avais négligé d'enfouir, cet or leur tenait en tête! «Où l'as-tu eu? d'où viens-tu?» Non, non, ils ne le sauront pas! Plutôt périr mille fois que de le leur révéler! Si le capitaine du navire flamand n'avait pas été tué dans l'abordage, ils m'eussent égorgé pour me faire parler!... Mais oublions ces souvenirs; causons de toi, Toutou-Mak, causons de toi, chérie...

—Ah! que j'ai hâte de te voir libre! Pourquoi ne pas consentir à livrer ces parchemins?

—Ces parchemins!... les livrer... aux Anglais... Jamais! oh! non, jamais! s'écria-t-il avec un rire métallique qui fit frémir l'Indienne.

Puis il ajouta d'un ton impérieux:

—J'espère que la fille de Kouckedaoui ne trahira pas mon secret.

Et ses yeux perçants, rivés sur elle, exigeaient une réponse.

—Toutou-Mak sauvera son bien-aimé! dit-elle en l'embrassant avec une ardeur qui lui fit tout oublier.

Le grincement d'une clé dans la serrure de la cellule les arracha à leur extase.

—A bientôt! tu seras libre! dit-elle en quittant le jeune homme qui secouait la tête d'un air de doute.

Toutou-Mak aimait trop pour s'arrêter aux nobles considérations qui retenaient Dubreuil dans les fers, elle était trop crédule pour suspecter un instant la bonne foi de Jean Cabot.

Elle vola à la maison de l'armateur, et, d'une voix haletante, lui indiqua le lieu où il trouverait les cartes, en réclamant la liberté immédiate du prisonnier, pour prix de ce service.

Cabot l'embrassa avec effusion, renouvela son engagement et ses protestations d'amitié. Mais, ajouta-t-il, il fallut attendre quelques jours, solliciter du roi d'Angleterre un ordre d'élargissement.

Toutou-Mak crut à tout cela. Pourquoi aurait-elle suspecté la sincérité de ce vieillard, qui déjà trébuchait aux portes de la tombe?[57] Il avait l'air si vénérable, si digne!

[Note 57: Il mourut, croit-on, l'année suivante.]

Une heure après, les Cabot avaient en leurs mains les précieux documents.

Le soir, sous un prétexte futile, la jeune fille fut conduite à bord du *Matthew*, amarré au quai de la Frome, près de l'église Saint-Étienne. Mais là, on l'enferma dans une cabine, et la pauvre innocente comprit alors seulement la perfidie dont elle avait été la complice involontaire et le jouet.

Dans la matinée du lendemain, le navire appareilla et, béni par le clergé catholique, sortit du port, aux acclamations d'une foule nombreuse, accompagné de trois ou quatre petits bâtiments «que les marchands de Bristol envoyèrent avec lui, chargés de gros drap, de bonneterie et d'autres marchandises de peu de valeur[58].»

[Note 58: *Histoire des découvertes*, etc., par J.-B. FORSTER.]

Quand on fut hors du canal de Bristol, Sébastien Cabot, qui commandait la flottille, ouvrit lui-même la cabine où était emprisonnée Toutou-Mak. Il se jeta à ses pieds, la supplia d'excuser la conduite de son père et de prêter l'oreille aux accents de l'amour qu'elle lui avait inspiré. Sébastien aimait pour la première fois, il aimait avec la violence d'un homme chez qui ce sentiment est nouveau vierge à un âge où chez les autres il est souvent épuisé. Il aimait furieusement, comme aiment ceux qu'une passion étrangère, soudaine, a détournés de leur concentration habituelle. Il fut ardent, pressant, sublime d'éloquence. Le feu étincelait dans ses yeux, tombait comme une lave brûlante de ses lèvres, jaillissait en effluves de ses gestes. Toutou-Mak se montra plus froide que les glaces du Succanunga. Un silence absolu, d'un dédain suprême, fut sa réponse unique. Sébastien sortit désespéré et plus amoureux que jamais. Maintes fois il revint à la charge, sans plus de succès. Une nuit, emporté par la flamme qui le dévorait, il se lève, fou de passion; il entre dans la cabine de la jeune femme. Tout est noir comme le crime qu'il projette. On n'entend que le ruissellement des vagues aux flancs du navire. Sébastien, les jambes flageolantes, la sueur au front, s'approche du hamac où repose l'Indienne, il y porte la main.

Toutou-Mak bondit, saute à terre, et d'une voix vibrante:

—Écoute, dit-elle; je tiens un couteau; si tu me touches, si tu fais un mouvement vers moi, je me tue.

Au fond, Sébastien n'était point pervers. Le délire avait pu un instant triompher de sa raison, de ses bons sentiments. Son dessein lui fit horreur; il s'enfuit sur le pont, en maudissant la destinée qui avait jeté cette créature sur ses pas. Dès lors, il chercha à vaincre sa funeste passion, et cessa de tourmenter la malheureuse jeune femme. Mais ses efforts même n'eurent pour effet que d'attiser la fièvre dont il était consumé. Le succès de son voyage avait cessé d'être le but unique de sa vie. Morne, triste, il laissait plus aux vents qu'à son habileté le soin de diriger la flotte; ses matelots commençaient à murmurer; il ne les entendait même pas, quand un matin, alors qu'il se promenait rêveur sur le tillac, la vigie cria:

—Terre!

Ce mot magique tira Sébastien de sa torpeur, et amena sur le pont tous les marins, proférant des cris d'allégresse.

—*Bona Vista*,[59] murmura en italien le capitaine, en découvrant un promontoire rocheux qui s'avançait dans la mer.

[Note 59: Ici je me suis conformé à la version la plus accréditée, quoique contraire à l'opinion de Warden.]

Il aurait voulu aborder. Mais la brise l'emportait au sud-est. Il rangea, à huit ou dix milles du rivage, une Côte, qui paraissait peu fertile et profondément indentée.

Sur le soir, le vent étant tombé, le *Matthew* mouilla dans une baie qu'on nomma Saint-Jean, en mémoire de l'apôtre dont on fêtait l'anniversaire ce jour-là, 24 juin.

Sébastien Cabot étudia les cartes dérobées à Dubreuil et y observa, à sa grande satisfaction, le littoral qu'il venait de découvrir, assez fidèlement dessiné. C'était la côte orientale d'une île triangulaire, située par le 49° de latitude et 55° de longitude.

Une note indiquait que là, mais à peu près à la hauteur du 50° de latitude, on trouverait le petit lac aurifère. Sébastien Cabot, ravi, consulta Toutou-Mak qui, le voyant plus réservé, consentait maintenant à causer avec lui. Mais elle ne put lui fournir aucun renseignement. Si c'était réellement l'île désignée sous le nom de Baccaléos sur la carte de Dubreuil, elle n'en avait jamais parcouru cette partie.

Le lendemain, Cabot leva l'ancre et cingla à l'est, puis à l'ouest et au nord sans perdre l'île de vue. Il arriva ainsi dans un détroit si correctement tracé sur un des plans de Dubreuil, que tous ses doutes cessèrent.

Plusieurs jours s'étaient écoulés depuis la première découverte. L'équipage voulait descendre à terre. Sébastien permit à quelques hommes de s'y rendre. Ils revinrent bientôt traînant avec eux trois indigènes, couverts de peaux. Toutou-Mak reconnut les Uskimé méridionaux.

Elle causa avec eux, et confirma le capitaine dans son idée qu'il avait la terre ferme à sa gauche, l'île de Baccaléos à sa droite.

Les Esquimaux furent retenus sur le *Matthew*, et l'on vira de bord pour aller ancrer dans la baie de Higourmachat, très-rapprochée du lieu où Dubreuil avait recueilli ses pépites.

Toutou-Mak pria Sébastien de la laisser aborder, pour visiter sa mère et ses compatriotes. Elle conduirait, assurait-elle, les Anglais au lac. Mais le capitaine en était trop épris pour s'exposer à ce qu'elle lui échappât. Loin d'acquiescer à son désir, il la renferma de nouveau, et envoya à terre un détachement.

A leur retour, ses gens lui annoncèrent qu'ils avaient été assaillis et repoussés par une forte troupe d'hommes armés, avec une perte de six de leurs camarades. Cette nouvelle affligea d'autant plus Sébastien, que le scorbut ravageait son équipage, et qu'on avait laissé en arrière les petits vaisseaux qui naviguaient de conserve avec le *Matthew*.

Cependant, les matelots ramenaient un insulaire parlant quelques mots de français, et qui s'était donné à eux en les prenant pour des Français. Sébastien le fit venir en sa présence. Le sauvage paraissait enchanté de voir des Innuit-Ili. Il témoignait d'une joie si excessive que le capitaine, ne comprenant rien à ses gestes et à son jargon entremêlé de termes français, le conduisit à Toutou-Mak.

Le sauvage poussa un cri de surprise, et la jeune femme se précipita dans les bras de Triuniak. Il voulut l'emmener! Mais lui-même était déjà prisonnier avec sa fille adoptive.

Cabot, satisfait de cette découverte, décida qu'il reviendrait, l'année suivante, avec des forces suffisantes pour s'emparer de l'île, il reprit sa route vers le nord, en espérant rejoindre la flottille et trouver un passage au Cathay.

Toujours guidé par les plans de Dubreuil, il s'éleva ainsi jusqu'au cinquante-sixième degré de latitude nord. Mais à ce point, il dut se soumettre aux représentations de ses officiers et à la mutinerie de l'équipage, qui considéraient cette tentative comme un échec, parce que non-seulement on n'avait pas recueilli d'or, mais parce qu'on n'avait vu qu'un pays nu, désolé, où le froid sévissait cruellement.

C'était à la fin d'août, Sébastien Cabot tourna le cap sur l'Angleterre et rentra au commencement d'octobre dans le canal de Bristol.

Par une sombre soirée, le *Matthew* essaya de franchir la barre du fleuve Severn; mais, battu d'un vent contraire et ne réussissant pas à s'affourcher, il courut, sous ses focs de beaupré, des bordées dans le canal en attendant le retour de la marée.

Il était neuf heures environ. A l'exception du pilote et d'un homme de quart, tout semblait dormir à bord. Néanmoins, dans une cabine, au pied du grand mat, Triuniak et Toutou-Mak veillaient.

—Ma fille est-elle prête? dit à voix basse le Groënlandais, vêtu et armé comme pour une expédition.

—Oui; partons. Tu as les cordes et ces instruments qui coupent le fer, que j'ai pris à celui qu'ils nomment un charpentier?

—Je les ai. Mais es-tu sûre de bien retrouver ta piste?

—Toutou-Mak reconnaîtrait partout l'endroit où elle a posé une fois le pied.

—Viens, ma fille.

Ils sortirent de la cabine, montèrent sur le pont en portant un lourd paquet, et, se coulant vers la préceinte, l'escaladèrent pour glisser sans bruit dans la mer.

Au sommet d'une falaise, un feu servait de phare, ils se dirigèrent à sa lueur, traînant derrière eux une bouée de liège sur laquelle était assujetti un gros rouleau de cordes. La traversée était longue, plus d'une lieue.

Qu'était-ce pour de tels nageurs? De la côte à Bristol, huit milles environ. En moins de quatre heures les deux Indiens eurent effectué le double trajet.

Ils arrivent, contournent les murs de la ville en longeant la rive droite de la Frome. Les voici devant le donjon du château. Le talus du fossé est planté d'une oseraie, ils s'y blottissent. Le cri du faucon déchire l'air; il est répété trois fois à intervalles réguliers, avec des cadences particulières. Un objet blanc, un chiffon flotte à l'une des fenêtres du donjon. On distingue cet objet à travers les profondeurs de la nuit.

—Bien! murmure, en bandant son arc, Triuniak qui a poussé les trois cris, il est là, il a reconnu notre signal d'autrefois: nous sauverons Innuit-Ili.

Je n'entreprendrai pas de peindre les émotions de Toutou-Mak.

Le Groënlandais dévide un peloton de ficelle, en attache le bout à une flèche et décroche cette flèche vers la fenêtre. Elle pénètre. La ficelle est retenue. Alors Triuniak se jette à l'eau, en emportant l'autre bout de la ligne et son rouleau de cordes, traverse le fossé et va se placer sous la tour. A la ficelle, il fixe tout à la fois la corde, quelques limes, un ciseau à froid et un couteau de matelot.

De nouveau le faucon exhale son cri.
La ficelle monte; avec elle la corde et les instruments. Une heure s'écoule, heure de poignante anxiété pour Toutou-Mak. Le ciel est complètement voilé. Il tombe une pluie fine. A peine aperçoit-on la sombre silhouette du château. Nul autre son que le sifflement de la bise et le clapotement monotones de l'eau contre la berge.
Enfin la corde s'agite. Les yeux de Triuniak discernent une ombre dont le noir plus opaque tranche, à soixante pieds au-dessus de lui, sur la masse générale des ombres.
La corde oscille, on entend un frottement sourd. Guillaume Dubreuil est dans les bras de Triuniak; un moment après dans ceux de Toutou-Mak.
Mais il faut fuir. Pas une minute à perdre. Où? comment? L'Indienne a tout prévu. En remontant la rive de la Frome, elle a remarqué un bateau-pêcheur isolé; on s'en empare, on hisse la voile, la brise est bonne; l'embouchure de la Severn est bientôt franchie. On passe forcément sous le vent du *Matthew*, qui hèle le bateau; celui-ci ne s'empresse guère de répondre; et, le lendemain, nos amis débarquent sur les côtes de France.

Le 12 décembre de cette même année, au milieu d'un concours immense, on célébrait avec toute la pompe catholique, dans l'église Saint-Remi, de Dieppe, le baptême de Toutou-Mak, sous le nom de Constance, la patronne du jour, et aussitôt après le mariage de Constance avec le capitaine Guillaume Dubreuil.

—Mon fils, dit Triuniak en sortant du temple, tu m'as promis de me ramener au Succanunga; tu tiendras ta parole n'est-ce pas?... Quoique j'aime ton pays et ton Dieu je veux que mes ossements reposent près de ceux de mes ancêtres, car je sens que l'Uski n'est point fait pour vivre chez l'homme blanc, point fait pour habiter son paradis...

—Hélas! oui, répondit tristement Dubreuil, je t'y ramènerai puisque tu le désires, père, mais, ajouta-t-il avec enthousiasme, je reconquerrai sur les Anglais la gloire dont ils ont voulu frustrer ma patrie!

FIN

Milton Keynes UK
Ingram Content Group UK Ltd.
UKHW010840271023
431440UK00004B/224